BERLITZ®

FRANÇAIS 1

LIVRE DE L'ELEVE

Préparé par le Service de la Recherche Pédagogique des Ecoles Berlitz

Published under the supervision and authority of the
Berlitz School companies.

The Berlitz Method consists of live instruction by native teachers carefully trained in Berlitz teaching techniques and constantly supervised by The Berlitz Schools of Languages of America, Inc. or the Société Internationale des Ecoles Berlitz. The conversational Berlitz Method requires exclusive use of the target language in the classroom from the first lesson and is administered only in conjunction with texts, tapes or other teaching aids prepared or selected by The Berlitz Schools of Languages of America, Inc. or the Société Internationale des Ecoles Berlitz. Berlitz instruction is geared to the development of practical communication skills in the shortest possible time.

U.S. ISBN-02-440220-6

Printed in Switzerland

August 1981

Editions Berlitz
1—3, avenue des Jordils
1000 Lausanne 6, Switzerland

TABLE DES MATIÈRES

Page

Préface x

CHAPITRE 1

Résumé xii
Bande N° 1 xii
Dialogue: « Bonjour! Comment allez-vous? » 1
Exercice 1: Un magnétophone et une cassette *(un / une)* 2
Exercice 2: C'est . . . / Ce n'est pas 3
Lecture: « Le vin et la bière » *(le / la)* 4
Table: Les couleurs *(blanc / blanche, etc.)* 4
Lecture: « Voici Paris! » *(il / elle, grand / grande, etc.)* 5
Exercice 3: Le boulevard est long; il n'est pas court *(contraires des adjectifs)* 6
Exercice 4: Posez les questions! 7

CHAPITRE 2

Résumé 8
Bande N° 2 8
Lecture: « Une petite voiture française » 9
Exercice 5: Questions sur la lecture 9
Table: Les nombres: 1-10 10
Lecture: « Regardez l'horloge! » 11
Exercice 6: Quelle heure est-il? 11
Lecture: « Voici l'avion pour Paris! » 12
Exercice 7: Cette voiture rouge est italienne, *etc. (concordance des adjectifs)* 12
Lecture: « Une classe de français » 13
Exercice 8: Choix des prépositions: *dans, sur, sous, etc.* 13
Lecture: « Une carte d'Europe » 14
Table: Pays et nationalités 14
Exercice 9: La Volkswagen est une voiture allemande *(substantifs et adjectifs de nationalité)* 15
Lecture: « Je suis professeur de français » 16
Exercice 10: Le verbe *être*: je *suis* / je *ne* suis *pas, etc.* 16
Lecture: « Monsieur Carter est anglais » 17
Exercice 11: Choix des adjectifs possessifs *(3e personne)* 17

Page

Exercice 12:	Choix des adjectifs possessifs *(suite)*	18
Exercice 13:	Quelle est la question?	18
Dialogue:	« Êtes-vous de Paris? »	19
Table:	Questions: *Est-ce que je suis? / Suis-je?*	19
Exercice 14:	Posez la question en deux formes!	20
Exercice de Prononciation:	Les voyelles *(exercice oral)*	21

CHAPITRE 3

Résumé		22
Bande No 3		22
Table:	Quelle heure est-il?	23
Dialogue:	« À quelle heure part le train? »	23
Exercice 15:	A. Quelle heure est-il? B. À quelle heure allez-vous au restaurant?	24
Exercice 16:	À quelle heure ouvre / ferme la banque?	25
Lecture:	« Monsieur Duval va à Lille »	26
Table:	Verbes au présent *(singulier): aller, venir, arriver, partir, sortir, prendre, mettre)*	26
Exercice 17:	Pratique des verbes: *questions sur la lecture*	27
Exercice 18:	Pratique des verbes: *transformation à la première et deuxième personnes*	28
Table:	Où?, D'où?, Comment?	29
Exercice 19:	Pratique des prépositions: *du, au, à la, etc.*	29
Dialogue:	« Où est le boulevard Montparnasse? »	30
Exercice 20:	Quel est l'impératif?	30
Dialogue:	« Un café noir, s'il vous plaît! »	31
Table:	Verbes au présent *(singulier): écouter, fumer, fermer, ouvrir*	31
Exercice 21:	Pratique des verbes *(exercice de transformation)*	32
Dialogue:	« Au revoir, Pierre »	33
Exercice 22:	Pour *(+ infinitif)*	33
Exercice 23:	Que fait Marie à l'école? *(exercice de transformation)*	34
Exercice 24:	Posez les questions: *Va-t-il . . . ? / Où va-t-il?*	35

CHAPITRE 4

Résumé		36
Bande No 4		36
Dialogue:	« C'est combien, s'il vous plaît? »	37
Table:	Les nombres: 11 – 1000	38
Exercice 25:	Un peu d'arithmétique: *3 + 4 = ?*	39
Lecture:	« Qu'est-ce qu'il y a à Paris? »	40
Exercice 26:	Pratique du pluriel *(exercice de transformation)*	40
Table:	Il *n*'y a *pas de*	41
Exercice 27:	Pratique de la forme négative avec *pas de*	41
Exercice 28:	Pratique du pluriel *(exercice de transformation)*	42
Table:	Le verbe *avoir*	43
Exercice 29:	Pratique du verbe *avoir (forme négative)*	43
Dialogue:	« Cette rue est très longue »	44
Exercice 30:	Questions sur le dialogue	45
Lecture:	« La famille Latour »	46
Exercice 31:	Exercice sur les membres de la famille	46

Page

Exercice 32: Questions sur la famille Latour 47
Exercice 33: Pratique des contraires 48
Exercice de Prononciation: Les voyelles nasales *(exercice oral)* 49

CHAPITRE 5

Résumé 50
Bande N° 5 50
Lecture: « Émile écoute la cassette » 51
Table: Pronoms personnels *(complément direct)* 51
Exercice 34: Pratique des pronoms *(complément direct)* 52
Exercice 35: Complément direct *(suite): positif et négatif* 52
Exercice 36: Apprenons les verbes! 53
Table: Aujourd'hui et hier *(passé composé)* 54
Exercice 37: Le passé composé *(exercice de transformation)* 55
Exercice 38: Qu'est-ce que Monsieur Duval a fait hier? *(transformation: première et deuxième personnes des verbes)* 56
Exercice 39: Que répond-elle? *(choix des réponses convenantes)* 57

CHAPITRE 6

Résumé 58
Bande N° 6 58
Dialogue: « Parlons français! » 59
Exercice 40: Questions sur le dialogue 60
Table: Pronoms indéterminés: *quelque chose / rien, etc.* 61
Exercice 41: Pratique des pronoms indéterminés *(exercice de transformation)* 61
Lecture: « Au bureau de Monsieur Duval » 62
Exercice 42: Questions sur la lecture 62
Exercice 43: À quel étage . . . ? *(pratique des nombres ordinaux)* 63
Table: Articles contractés: *au, du, etc.* 64
Exercice 44: Pratique des articles contractés 64
Exercice 45: Pratique: *ne . . . ni . . . ni* 65
Exercice 46: Choix des prépositions convenantes 66
Exercice de Prononciation: Les consonnes *(exercice oral)* 67
Exercice 47: Écrivez *être* ou *avoir*! 68
Exercice 48: A. Écrivez *du, de la,* ou *de l'!* 68
B. Écrivez *de, du, de la, de l',* ou *des!*
C. Écrivez *à, à la* ou *à l'!*

CHAPITRE 7

Résumé 70
Bande N° 7 70
Dialogue: « Au Consulat du Canada » 71
Lecture: « Où est le consulat? » « Marie demande son passeport » 72
Exercice 49: Questions sur la lecture 73
Exercice 50: Mettez au passé! *(passé composé)* 74
Exercice 51: A. Écrivez les questions! *(Est-ce que . . . / inversion)* 75
B. Écrivez *le, la, l'* ou *les! (complément direct)*

Page

Exercice 52: Adjectifs possessifs 77
Exercice 53: A. Les lettres de l'alphabet – les mois et les jours 78
B. Pronoms indéterminés: *quelque chose, rien, etc.*
Exercice 54: Écrivez *à, au, aux, en, dans!* 80
Table: Conjugaison: *présent et passé composé* 81

CHAPITRE 8

Résumé 82
Bande N° 8 82
Dialogue: « Quel épicier! » 83
Exercice 55: Questions sur le dialogue 84
Exercice 56: A. Écrivez *il, elle,* ou *lui!* 85
B. Écrivez *lui* ou *leur! (complément indirect)*
C. Écrivez *me, vous,* ou *nous!*
D. Écrivez *que, qui,* ou *à qui!*
E. Écrivez *plus, moins, autant de . . . que . . .!*
Lecture: « En Amérique et en France » 89

CHAPITRE 9

Résumé 90
Bande N° 9 90
Lecture: « Le facteur n'a pas le temps de m'écouter » 91
Exercice 57: Questions sur la lecture 92
Exercice 58: A. Table de conjugaison: *présent / passé (avec être)* 93
B. Transformation: *présent / passé (avec être)*
C. Écrivez *y!*

CHAPITRE 10

Résumé 96
Bande N° 10 96
Dialogue: « Apportez-moi du café, s'il vous plaît! » 97
Exercice 59: A. Le partitif: écrivez *en*! 98
B. Mettez à la forme négative! *(infinitif complément du verbe)*
C. Mettez au passé!
Lecture: « Un jour de fête » 102
Exercice 60: A. Questions sur la lecture 103
B. Mettez au passé! *(transformation)*
C. Passé avec pronoms *(complément indirect)*

CHAPITRE 11

Résumé 106
Bande N° 11 106
Dialogue: « Un repas français » 107
Exercice 61: A. Questions sur le dialogue 108
B. Le pain en France: *questions*
Illustration: Menu et addition: *Restaurant de l'Étoile* 110
Dialogue: « Je voudrais une bouteille de Bordeaux » 112
Exercice 62: Questions sur le dialogue 113

Page

Lecture: « L'Agent 009 » 114
Exercice 63: A. Mettez au futur! 115
B. Futur avec *y*

CHAPITRE 12

Résumé 118
Bande N° 12 118
Dialogue: « Pour pouvoir être près de Marie » 119
Table: Dix mille phrases sur une page *(verbes auxiliaires)* 120
Exercice 64: A. Verbes auxiliaires: écrivez *y*! 121
B. Verbes auxiliaires: écrivez *en*!
C. Verbes auxiliaires: écrivez *le, la,* ou *les*!
Exercice 65: A. Mettez au futur immédiat! *(j'achèterai, etc.)* 124
B. Mettez au passé immédiat! *(je viens d'acheter, etc.)*

CHAPITRE 13

Résumé 126
Bande N° 13 126
Dialogue: « Un après-midi ensemble » 127
Exercice 66: Questions sur le dialogue 128
Exercice 67: A. Verbes auxiliaires: mettez à la forme négative! 129
B. Verbes auxiliaires: mettez au passé!
C. Verbes auxiliaires: questions générales
D. Verbes auxiliaires: mettez au futur!
Exercice 68: Écrivez les contraires! 133
Dialogue: « Renseignements, s'il vous plaît! » 134
Exercice 69: Questions sur le dialogue 135

CHAPITRE 14

Résumé 136
Bande N° 14 136
Dialogue: « Une journée qui commence mal » 137
Exercice 70: Questions sur le dialogue 138
Exercice 71: Mettez aux différentes personnes! *(verbes réfléchis)* 139
Exercice 72: Répondez avec *déjà* ou *pas encore!* 140
Exercice 73: A. Quelle heure est-il? 141
B. Écrivez *à quelle heure, combien de temps,* ou *comment!*
C. Série: M. Duval va à la banque. *(Regardez l'illustration et répondez!)*
Exercice 74: *Cher* ou *bon marché* 145
Exercice 75: Écrivez *le mien, la mienne, etc. (pronoms possessifs)* 146

CHAPITRE 15

Résumé 148
Bande N° 15 148
Dialogue: « Qu'est-ce qu'il y a ce soir à la télévision? » 149
Exercice 76: Questions sur le dialogue 150
Exercice 77: A. Questions générales 151
B. Mettez à la forme négative!

Page

C. Mettez au passé! *(verbes réfléchis)*
D. Mettez aux différentes personnes! *(verbes réfléchis)*
E. Questions générales *(faire: sens causatif)*
Exercice 78: A. Répondez avec *toujours*! 154
B. Répondez avec *jamais*!
Exercice 79: Écrivez la première dictée! 155

CHAPITRE 16

Résumé 156
Bande No 16 156
Dialogue: « Où est passé le gâteau? » 157
Exercice 80: Questions sur le dialogue 158
Exercice 81: A. Écrivez *ne . . . que*! 159
B. Écrivez *depuis* ou *dans*!
C. Mettez au futur!
Dialogue: « Un dimanche à la plage » 161
Exercice 82: À Noël: questions générales *(vacances et jours de fête)* 162
Exercice 83: Écrivez la deuxième dictée! 163

CHAPITRE 17

Résumé 164
Bande No 17 164
Lecture: « L'été à Deauville » 165
Exercice 84: Questions sur la lecture 166
Exercice 85: A. Faites des phrases avec *déjà, pas encore,* et *ne . . . jamais!* 167
B. Mettez à la forme négative!
C. Mettez à la forme affirmative!
Dialogue: « Un dimanche à la plage » *(suite)* 170
Exercice 86: Écrivez la troisième dictée! 171

CHAPITRE 18

Résumé 172
Bande No 18 172
Dialogue: « Après la pluie, le beau temps » 173
Exercice 87: A. Une journée de vacances *(transformation au passé)* 174
B. Mettez au futur!
Dialogue: « Une bonne secrétaire » 177
Exercice 88: Questions sur le dialogue 178
Exercice 89: Écrivez la quatrième dictée! 179

CHAPITRE 19

Résumé 180
Bande No 19 180
Dialogue: « Des amis peu sympathiques » 181
Exercice 90: Questions sur le dialogue 182
Exercice 91: Changeons de conversation: questions pratiquant le verbe *changer* 184
Exercice 92: A. Les appartements: questions générales *(loyer, meubles, etc.)* 185
B. Écrivez aux différentes personnes! (les verbes *oublier* et *ressembler*)
C. Écrivez *être en train de*!

Page

CHAPITRE 20

Résumé 188
Bande N° 20 188
Dialogue: « Et . . . merci mille fois! » 189
Exercice 93: A. L'année *(transformation au passé)* 190
B. L'année *(transformation au futur)*
Lecture: « En voyage » 192

Un mot à nos élèves 197
Table des verbes 198
Corrigé des exercices 203
Programme de bandes magnétiques 221

PRÉFACE

Les principes fondamentaux de la Méthode Berlitz, d'après M. D. Berlitz, fondateur des Écoles Berlitz, exigent l'usage constant et exclusif de la langue étrangère et l'association directe de la pensée et de la perception avec le son d'un mot dans une langue étrangère.

Les moyens qui permettent d'atteindre ce but sont les suivants :

1. enseignement du concret par l'exemple visuel et le mime,
2. enseignement de l'abstrait par l'association d'idées,
3. enseignement de la grammaire par l'exemple et par le biais d'analogies.

La traduction, en tant que moyen d'acquérir une langue étrangère, est totalement abandonnée. Dès la première leçon, l'élève n'entend et ne parle que la langue qu'il désire apprendre. Ce qui ne peut être enseigné par l'exemple visuel est abordé sous l'angle du principe mathématique qui détermine la valeur de l'inconnue x par sa relation aux quantités a et b.

Dans la préface des premières éditions de ses livres, M. D. Berlitz expliquait en détail les raisons qui lui faisaient rejeter la technique de la traduction et insister sur l'usage exclusif de la langue à apprendre.

Pour M. D. Berlitz, il était « illogique » de se servir de la langue maternelle de l'élève pendant la plus grande partie de la leçon. D'après lui, on apprenait chaque langue d'autant mieux que le cadre en était fourni par la langue elle-même. C'est, pour l'élève, la seule manière de saisir l'esprit de la langue et de s'habituer à penser en cette langue. Les difficultés de grammaire que la traduction fait souvent ressortir et les comparaisons avec la langue maternelle qui en résultent sont de beaucoup réduites par la Méthode Berlitz.

Les effets de la Méthode Berlitz sur l'élaboration d'un cours de langue étrangère demandent pourtant quelques éclaircissements supplémentaires. Dans sa totale dévotion à cette méthode M. D. Berlitz fut le premier à en tirer des conclusions pratiques. Ces conclusions couvrent tous les aspects importants d'un cours de langue étrangère.

1. Le but de la Méthode Berlitz réside en premier lieu dans la faculté de comprendre et de parler. La faculté de lire et d'écrire vient au second plan. Berlitz enseigne la langue parlée avant d'enseigner la langue écrite.

2. Par la Méthode Berlitz, la langue devient un simple outil aux multiples usages de la conversation, de la lecture et de l'écriture, plutôt qu'un savoir purement théorique. L'acquisition de cette aptitude à comprendre et à se faire comprendre fait déjà l'objet des toutes premières leçons.

3. M. D. Berlitz fut le premier à établir une liste de fréquence des mots employés dans la conversation, bien avant que la langue littéraire ne fournisse *sa* liste de fréquence.

4. Les éléments de grammaire, ou *structures fondamentales* selon l'expression des linguistes modernes, font l'objet de la même sélection par la conversation.

5. L'ordre dans lequel le vocabulaire et la grammaire sont présentés résulte, bien entendu, de la nécessité d'expliquer tous les éléments sélectionnés sans avoir recours à la traduction et dans des situations d'une complexité croissante.

Ainsi, la méthode Berlitz détermine l'ordre de priorité des objectifs de notre enseignement : sélection du vocabulaire et des structures grammaticales, classification de ces éléments et définition de la quantité assimilable par l'élève à n'importe quel stade de son évolution. Il est intéressant de remarquer que la Méthode Berlitz répond aux critères de l'enseignement programmé.

Les moyens pédagogiques mis à la disposition des Ecoles Berlitz sont les suivants :

1. un manuel pour le professeur, contenant le programme des leçons à donner en classe,

2. un ensemble de bandes magnétiques à écouter pour revoir les leçons,

3. un manuel pour l'élève, contenant des exercices pratiques, des textes et des exemples-types grammaticaux.

Néanmoins, c'est le professeur Berlitz qui demeure l'élément le plus important; version moderne du *Sprachmeister* ou du *maître de langue*, il continue aujourd'hui à incarner une profession honorée de tous temps.

CHAPITRE 1 — RÉSUMÉ

Qu'est-ce que c'est?
C'est . . .

—*un* boulevard
un cigare
un crayon
un état
un livre
un magnétophone
un papier
un paquet
un pays
un stylo
un téléphone

—*le* café
le café-au-lait
le lait
le vin

—*une* allumette
une bande
une boîte
une cassette
une chaise
une cigarette
une porte
une rue
une table
une ville

Est-ce que c'est un livre?
—Oui, c'est un livre.
—Non, ce n'est pas un livre.

C'est un livre, n'est-ce pas?
—Oui, c'est un livre.
—Non, ce *n*'est *pas* un livre.

Comment est le/la . . . ?

Le stylo est . . .	*La* bande est . . .
—long	—long*ue*
court	court*e*

Le paquet est . . .	*La* boîte est . . .
—grand	—grand*e*
petit	petit*e*

De quelle couleur est le/la . . . ?

Le livre est . . .	*La* table est . . .
—blanc	—blanc*he*
bleu	bleu*e*
gris	gris*e*
noir	noir*e*
vert	vert*e*

—jaune
marron
rouge

—Le crayon est blanc *et* rouge.
Le vin est blanc *ou* rouge.

Est-ce que le café est noir?
—Oui, *il* est noir.

Est-ce que la boîte est jaune?
—Oui, *elle* est jaune.

Quel pays est-ce?
C'est . . .
—la France
la Suisse

Quelle ville est-ce?
C'est . . .
—Paris
Genève

Quel état est-ce?
—C'est la Californie.

Les numéros:
—un *(1)*
deux *(2)*
trois *(3)*
quatre *(4)*
cinq *(5)*

ÉCOUTEZ LA BANDE NUMÉRO 1!

BONJOUR! COMMENT ALLEZ-VOUS?

Marie – Bonjour, Pierre.
Pierre – Bonjour, Marie. Comment allez-vous?
Marie – Ça va, merci. Et vous?
Pierre – Très bien. Mais qu'est-ce que c'est, Marie?
Est-ce que c'est une radio?
Marie – Non, ce n'est pas une radio. C'est un magnétophone.
Pierre – Un magnétophone?
Marie – Oui, Pierre. Un magnétophone et une cassette.
C'est une cassette Berlitz.

UN MAGNÉTOPHONE ET UNE CASSETTE

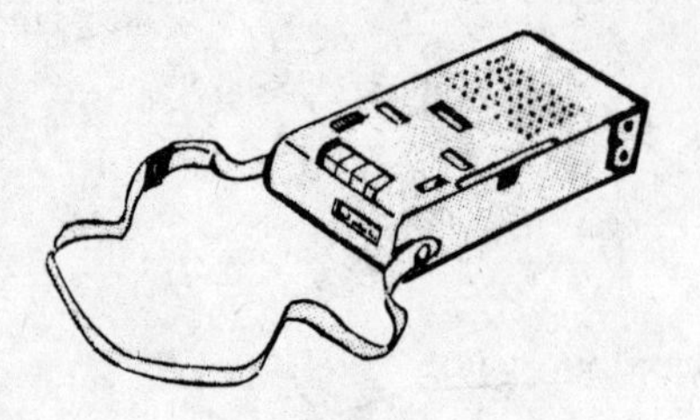

C'est **un** *magnétophone.*

C'est **une** *cassette.*

EXERCICE 1

Exemple: *stylo* *C'est un stylo.*

1. *porte* c'est une porte
2. *chaise* c'est une chaise
3. *cigare* C'est un cigare
4. *cigarette* c'est une cigarette
5. *paquet* c'est une paquet
6. *café* c'est le cafe
7. *ville* c'est une ville
8. *allumette* c'est une allumette
9. *rue* c'est une rue
10. *boulevard* c'est un boulevard

QU'EST-CE QUE C'EST?

Est-ce que c'est un magnétophone?
– *Non, ce n'est pas un magnétophone.*
Est-ce que c'est une cassette?
– *Non, ce n'est pas une cassette.*

Qu'est-ce que c'est?
– *C'est un téléphone.*

Oui, c'est . . .   *Non, ce n'est* **pas** *. . .*

EXERCICE 2

Exemple: Est-ce que c'est une cigarette?

Oui, c'est une cigarette.

Non, ce n'est pas une cigarette.

1. Est-ce que c'est une allumette?

Oui, c'est une allumette
Non, ce n'est pas une cigarette

2. Est-ce que c'est un livre?

Oui, c'est un livre
Non, ce n'est pas un livrl

3. Est-ce que c'est un crayon?

Oui, c'est un crayon
Non, ce n'est pas une crayon

4. Est-ce que c'est une porte?

Oui, c'est une porte
Non, ce n'est pas une porte

5. Est-ce que c'est un boulevard?

Oui, c'est un boulvard
Non, ce n'est pas un boulvard

LE VIN ET LA BIÈRE

Le Chablis est un vin. C'est un vin blanc. Le Chianti est un vin aussi, mais ce n'est pas un vin blanc. C'est un vin rouge. Le Chablis est un vin français et le Chianti est un vin italien.

Et le Bordeaux? Est-ce que le Bordeaux est un vin? Oui, c'est un vin. Est-ce que c'est un vin français ou un vin italien? C'est un vin français. Le Bordeaux est-il rouge ou blanc? Le Bordeaux est rouge ou blanc.

Et la Löwenbräu. Est-ce que c'est un vin français? Mais non! La Löwenbräu n'est pas un vin français, c'est une bière allemande.

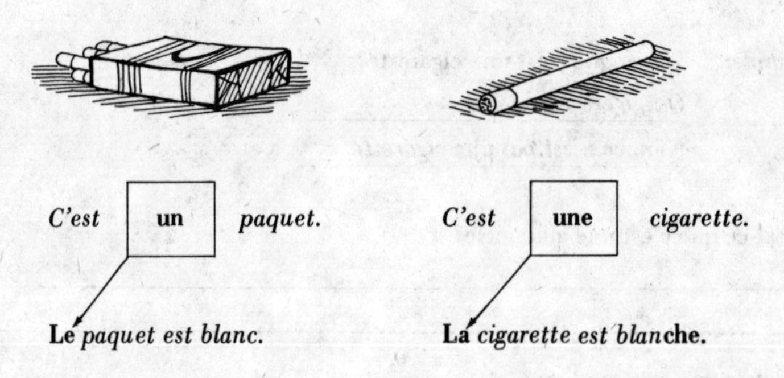

LES COULEURS

Le *livre est . . .* **La** *porte est . . .*

blanc	*blan***che**
noir	*noir***e**
vert	*vert***e**
gris	*gris***e**
bleu	*bleu***e**
marron	
rouge	

VOICI PARIS!

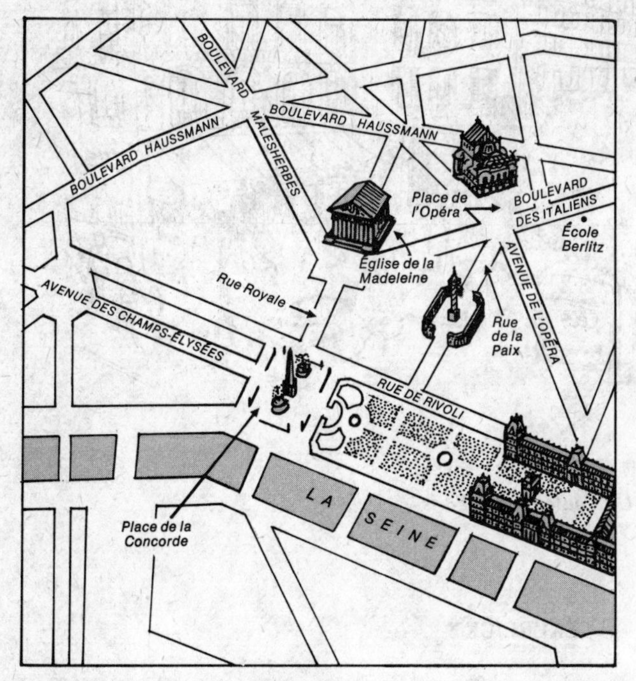

Paris est grand.
La France est grande.

Est-ce que Paris est une ville ou un pays?
– *Paris est une ville.*
Et la France?
– *La France est un pays.*

Comment est Paris?
– *Paris est grand.*
Et la France?
– *La France est grande aussi.*

Est-ce que le boulevard Haussmann est court?
– *Non, il n'est pas court.*
Comment est-il?
– *Il est long.*
Est-ce que la rue de la Paix est longue aussi?
– *Non, elle n'est pas longue.*
Comment est-elle?
– *Elle est courte.*
Et la Seine?
– *La Seine est longue.*

Il *est . . .* **Elle** *est . . .*

grand	*grande*
petit	*petite*
long	*longue*
court	*courte*

Un boulevard de Paris

EXERCICE 3

Exemple: Le boulevard est long.

Il n'est pas court.

1. La ville est petite.

   Elle n'est pas grande

2. Le Luxembourg est petit.

   Il n'est pas grand

3. La rue de Rivoli est longue.

   Elle n'est pas courte

4. La France est grande.

   Elle n'est pas petite.

5. Le Chablis est blanc.

   Il n'est pas rouge

EXERCICE 4

Posez les questions:

Exemple: Le livre est *bleu.*

De quelle couleur est le livre?

1. Paris est *grand.*

Comment est Paris?

2. C'est *une boîte.*

Qu'est-ce que c'est?

3. *Oui, la Suisse est petite.*

Est ce que Suisse est petite?

4. La bande est *marron.*

De quelle couleur est la bande

5. *Non, Paris n'est pas un pays.*

Est ce que Paris est un pays.

6. Monaco est *petit.*

Comment est Monaco?

7. *Oui, Paris est une ville.*

Est ce que Paris est une ville?

8. *Oui, la cigarette est blanche.*

Est ce que la cigarette est blanche?

9. Le Boulevard Pasteur est *court.*

Comment est le Boulevard Pasteur?

10. *Non, la rue de la Paix n'est pas longue.*

Est ce que la rue de la Paix est longue?

CHAPITRE 2 – RÉSUMÉ

Qu'est-ce que c'est?
C'est . . .
–*un* aéroport
un avion
un bureau
un chapeau
un chat
un chien
–un garage
un journal
un manteau
un taxi
un train
un verre

–*une* bouteille
une carte
une clé
une cravate
une gare
–une maison
une montre
une robe
une tasse
une voiture

Voici un chien.
Voilà *un autre* chien.
Voici une voiture.
Voilà *une autre* voiture.

Quel chien est grand?
–Le chien *noir* est grand.
Ce chien est grand.

Quelle voiture est petite?
–La voiture rouge est petite.
Cette voiture est petite.

Où est le livre?
Il est . . .
–sur la table
sous la chaise
dans la classe
–devant le professeur
derrière la lampe

–ici/là

Où est l'avion/le train?
–L'avion est *à* l'aéroport.
–Le train est *en* gare.

Qui est-ce?
C'est . . .
–un monsieur/M. Duval
une dame/Mme Duval
une jeune fille/Mlle Duval

Qui sommes-nous?
–Je suis M. Latour.
Je *ne* suis *pas* M. Duval.

–Vous êtes l'élève.
Vous *n'*êtes *pas* le professeur.

Où sommes-nous?
–Nous sommes dans la classe.
Nous ne sommes pas dans la rue.

–Je suis debout devant vous.
Vous êtes assis(*e*) devant moi.

À qui est . . . ?
C'est . . .
–le journal de M. Duval
(C'est *son* journal.)

–la voiture de M. Duval
(C'est *sa* voiture.)

–*mon* journal
ma voiture

–votre { journal / voiture }

De quelle nationalité . . . ?

Ce monsieur est . . .	Cette dame est . . .
–allemand	–allemande
américain	américaine
anglais	anglaise
espagnol	espagnole
français	française
italien	italien*ne*

Les numéros:
–six *(6)*, sept *(7)*, huit *(8)*,
neuf *(9)*, dix *(10)*

Quelle heure est-il?
Il est . . .
–une heure
deux heures
trois heures, *etc.*

ÉCOUTEZ LA BANDE NUMÉRO 2!

UNE PETITE VOITURE FRANÇAISE

Voici une voiture. Ce n'est pas une grande voiture. C'est une petite voiture, une petite voiture française. Cette voiture est dans la rue, et Monsieur Duval est dans la voiture. (Monsieur Duval est français aussi.)

Est-ce que le chien est dans la voiture? Non, il n'est pas dans la voiture. Où est le chien? Il est derrière la voiture.

EXERCICE 5

1. Est-ce que le chien est noir?

   Non, le chien n'est pas noir.

2. De quelle couleur est le chien?

   Le chien est blanc

3. La voiture est-elle grande ou petite?

   La voiture est petite.

4. Est-elle blanche?

   Non, elle n'est pas blanch

5. De quelle couleur est-elle?

   Elle est noire.

6. Le chien est-il devant la voiture?

Non, le chien n'est pas devant la voiture

7. Où est le chien?

Le chien est derrière la voiture

8. De quelle nationalité est Monsieur Duval?

il est francais

9. Est-il debout ou assis?

il est assis

10. Où est-il assis?

il est assis dans la voiture

LES NOMBRES

1 un	2 deux
3 trois	4 quatre
5 cinq	6 six
7 sept	8 huit
9 neuf	10 dix

Cinq . . .
Quatre . . .
Trois . . .
Deux . . .
Un!

REGARDEZ L'HORLOGE!

Regardez l'horloge! Quelle heure est-il, s'il vous plaît? Il est dix heures. Mais cette horloge est à Paris. Il est dix heures à Paris. Est-il dix heures à Moscou aussi? Et à Washington?

Paris	10^h
Washington	5^h
Tokyo	7^h
Moscou	1^h

Mais non! Il n'est pas dix heures à Washington. À Washington il est cinq heures. Et à Moscou il est une heure. Quelle heure est-il à Tokyo?

EXERCICE 6

Quelle heure est-il?

1.  *Il est* dix heures

2.  il est trois heures

3.  il est quatre heures

4.  il est cinq heures

5. il est sept heures

VOICI L'AVION POUR PARIS!

Voici un avion. Est-ce que c'est un avion français? Est-ce une Caravelle? Non, ce n'est pas un avion français, mais un avion américain. C'est un 747. C'est l'avion pour Paris. Cet avion est-il blanc ou noir? Il est blanc. Est-il petit? Non, il n'est pas petit. Au contraire, il est grand. Cet avion blanc est très grand.

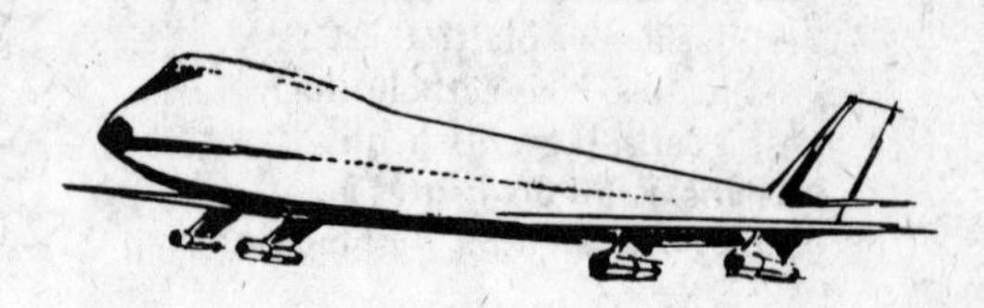

Cet avion *est* **blanc.**

Cet avion blanc *est grand.*

Attention!

ce	*monsieur, chien*
cet	*homme, avion*
cette	*dame, voiture*

EXERCICE 7

Exemple: voiture *(rouge, italien–)* *Cette voiture est rouge.*

Cette voiture rouge est italienne.

1. chapeau *(marron, grand–)* cette chapeau est marron
   ce chapeau marron est grand
2. robe *(bleu–, court–)* cette robe est bleue.
   cette robe bleue est courte .
3. voiture *(vert–, grand–)* cette voiture est verte
   cette voiture verte est grande
4. cravate *(rouge, long–)* cette cravate est rouge.
   cette cravate rouge est longue,
5. manteau *(jaune, court–)* ce manteau est jaune.
   Ce manteau jaune est court.

UNE CLASSE DE FRANÇAIS

Voici une classe de français à l'École Berlitz. Qui est dans cette classe? Un professeur et un élève. Le professeur est-il debout ou assis? Le professeur est debout et l'élève est assis. Il est assis devant le professeur.

L'élève est assis sur la chaise. Le professeur n'est pas assis; il est debout.

Mais où est la carte? Est-ce une carte d'Amérique ou une carte d'Europe? Est-elle devant ou derrière le professeur? Répondez, s'il vous plaît!

EXERCICE 8

Répondez avec **dans, sur, sous,** *etc.*:

Exemple: Le professeur est ______ *dans* ______ la classe.

1. L'élève est assis ______ sur ______ la chaise.
2. Le professeur est debout ______ devant ______ l'élève.
3. La carte est ______ derrière ______ le professeur.
4. Le crayon est ______ sous ______ la table.
5. Le livre est ______ sur ______ la table.
6. La table est ______ derrière ______ le professeur.
7. La leçon est ______ de ______ français.
8. La leçon est ______ de ______ deux heures.
9. L'école est ______ à ______ Paris.
10. Paris est ______ en ______ France.

UNE CARTE DE FRANCE

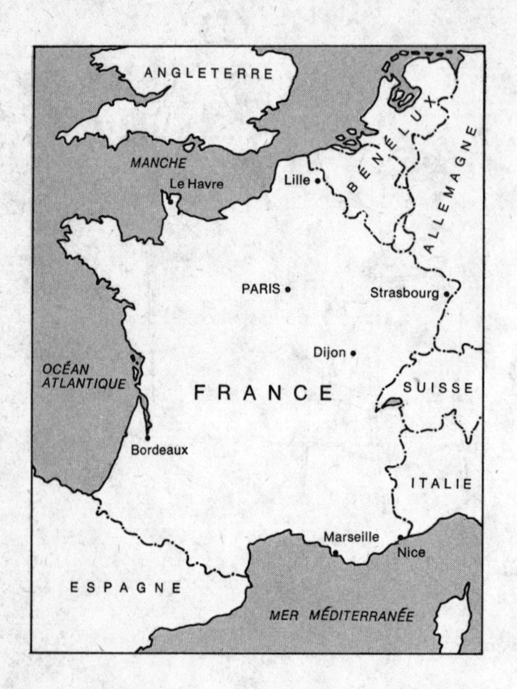

Voici une carte de France. La France est un pays. C'est un grand pays en Europe. Paris n'est pas un pays, mais une ville. Paris est en France. C'est une grande ville française. Marseille est en France aussi.

Londres est une grande ville aussi, mais Londres n'est pas en France. Ce n'est pas une ville française, mais une ville anglaise. Londres est en Europe aussi. Londres est la capitale de l'Angleterre.

New York n'est pas en Europe mais en Amérique. C'est une très grande ville américaine. Mais New York n'est pas la capitale des États-Unis. Quelle est la capitale des États-Unis? C'est Washington.

Et Munich? Où est Munich? Est-ce que c'est une grande ou une petite ville? Une ville française, américaine, ou allemande? Répondez!

PAYS ET NATIONALITÉS

la France	en	France	français/française
la Belgique	en	Belgique	belge
la Chine	en	Chine	chinois/chinoise
la Hollande	en	Hollande	hollandais/hollandaise
la Russie	en	Russie	russe
l'Allemagne	en	Allemagne	allemand/allemande
l'Angleterre	en	Angleterre	anglais/anglaise
l'Espagne	en	Espagne	espagnol/espagnole
l'Italie	en	Italie	italien/italienne
le Brésil	au	Brésil	brésilien/brésilienne
le Canada	au	Canada	canadien/canadienne
le Mexique	au	Mexique	mexicain/mexicaine
le Japon	au	Japon	japonais/japonaise
le Vénézuéla	au	Vénézuéla	vénézuélien/vénézuélienne
les États-Unis	aux	États-Unis	américain/américaine

EXERCICE 9

Exemple: La *Volkswagen* *est une voiture allemande.*

1. Le *Chianti* est un vin italien
2. La *Heineken* __________
3. Le *Boeing 747* __________
4. Le *London Times* __________
5. La *Löwenbräu* __________
6. La *Caravelle* __________
7. La *Toyota* __________
8. *São Paulo* __________
9. Le *Chablis* __________
10. La *Pravda* __________
11. La *Timex* __________
12. *Düsseldorf* __________
13. La *Rolls Royce* __________
14. Le *Bic* __________
15. *Osaka* __________

JE SUIS PROFESSEUR DE FRANÇAIS

Bonjour! Je suis professeur de français à l'École Berlitz. Et voici la classe de français de cette école! Est-ce que je suis debout ou assis? Je suis debout, mais mon élève est assis. Il est assis devant moi.

Et vous! Vous n'êtes pas le professeur. Vous êtes l'élève. Êtes-vous dans cette classe? Êtes-vous debout ou assis? Vous n'êtes pas français. Êtes-vous anglais? Américain? De quelle nationalité êtes-vous? Répondez!

Être ou ne pas être . . . !

je suis	*je* **ne** *suis* **pas**
vous êtes	*vous* **n'***êtes* **pas**
il/elle est	*il/elle* **n'***est* **pas**
nous sommes	*nous* **ne** *sommes* **pas**

EXERCICE 10

Exemple: Je ___*suis*___ le professeur.

___*Je ne suis pas*___ l'élève.

1. Je ___suis___ dans la classe.
   ___Je ne suis pas___ dans la rue.
2. Vous ___êtes___ français.
   ___Vous n'êtes pas___ allemand.
3. Il ___est___ assis.
   ___Il n'est pas___ debout.
4. Nous ___sommes___ à Paris.
   ___Nous ne sommes pas___ à Berlin.
5. Elle ___est___ debout.
   ___Elle n'est pas___ assise.

MONSIEUR CARTER EST ANGLAIS

Voici Monsieur Carter. Et
voilà sa voiture et son chien.
Monsieur Carter n'est pas français.
Carter n'est pas un nom français.
Monsieur Carter est anglais.
Sa voiture est anglaise aussi.

Je ne suis pas anglais.
Mon nom n'est pas Carter.
Je suis français. Je suis
professeur de français.
C'est ma profession.

Et vous? Quelle est votre
nom? Êtes-vous français?
Quelle est votre profession?

	je	*vous*	*il/elle*	
le (l')	**mon**	**votre**	**son**	*nom* *apéritif* *adresse*
la	**ma**	**votre**	**sa**	*voiture* *profession* *cravate*

EXERCICE 11

Regardez l'illustration! Qu'est-ce que c'est?

Exemple: 6. *C'est sa cravate.*

1. c'est mon nom
2. c'est votre aperitif
3. c'est son adresse
4. c'est ma voiture
5. c'est votre profession

EXERCICE 12

Exemple: Vous êtes ingénieur. *C'est votre profession.*

1. Je suis professeur. c'est mon profession
2. Monsieur Schmidt est allemand. c'est sa nationalite
3. Je suis français. c'est ma nationalite
4. Vous n'êtes pas français. c'est n'est pas votre
5. Vous n'êtes pas professeur. c'est n'est pas votre profe

EXERCICE 13

Quelle est la question?

Exemple: Monsieur Müller est *allemand.* *De quelle nationalité est Monsieur Müller?*

1. Le taxi est *devant la maison.* Où est le taxi
2. C'est *Madame Duval.* Qui est ce ?
3. C'est *une bouteille de vin.* Qu'est ce que c'est ?
4. Il est *trois heures.* Quelle heure est-il ?
5. Ce livre est *jaune.* De quelle couleur est ce livre
6. Ma voiture est *blanche.* De quelle couleur est votre
7. Il est *cinq heures.* Quelle heure est-il
8. *Cette* ville est grande. Quelle ville est grande
9. Cette rue est *courte.* Comment est cette rue ?
10. C'est le numéro «*vingt*». Quelle est ce nu

ÊTES-VOUS DE PARIS?

Marie — Bonsoir, Madame Laroche.

Madame Laroche — Bonsoir, Marie.

Marie — Madame Laroche, voici un ami, Pierre Lefèvre.

Madame Laroche — Enchantée, Pierre.

Pierre — Enchanté, madame.

Madame Laroche — Êtes-vous de Paris, Pierre?

Pierre — Non, madame. Je suis de Marseille.

Madame Laroche — Ah, Marseille! C'est une très belle ville.

Est-ce que	*je suis . . . ?* *vous êtes . . . ?* *nous sommes . . . ?*	OU	*Suis-je . . . ?* *Êtes-vous . . . ?* *Sommes-nous . . . ?*
Est-ce qu'	*il/elle est . . . ?* *ils/elles sont . . . ?*		*Est-il/elle . . . ?* *Sont-ils/elles . . . ?*

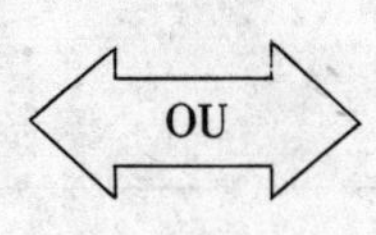

Est-ce que	*le directeur est . . . ?* *la secrétaire est . . . ?* *les élèves sont . . . ?*	OU	*Le directeur* **est-il** *. . . ?* *La secrétaire* **est-elle** *. . . ?* *Les élèves* **sont-ils/elles** *. . . ?*

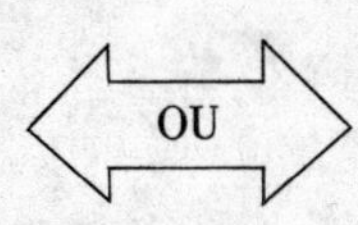

EXERCICE 14

Exemple: Pierre est de Marseille.

a. *Est-ce que Pierre est de Marseille?*

b. *Pierre est-il de Marseille?*

1. Nous sommes en classe.

a. Est-ce que nous sommes en classe

b. Sommes nous en classe

2. Mademoiselle Simon est secrétaire.

a. Est ce que Mademoiselle Simon est secr

b. Est-elle secretaire

3. Vous êtes un bon élève.

a. Est-ce que je suis un bon eleve

b. Suis-je un bon eleve

4. Il est trois heures.

a. Quelle heure est-il

b.

5. Cet exercice est long.

a. Quelle exercise est lon

b.

EXERCICE DE PRONONCIATION

Prononcez. **a — e — i — o — u**

a — e	la — le	le — la
	la table	le paquet
	la gare et le garage	
é	télé	le téléphone
	Émile est à l'école.	
é — è	élève	école française
	Ce sont des élèves de l'école française.	
i	lit	Mimi
	Il lit le premier livre.	
o	manteau	chapeau
	Godot est au bureau.	
ou	ou — vous — debout	
	Vous êtes debout.	
u	une	une rue
	Il fume une cigarette.	

CHAPITRE 3 – RÉSUMÉ

Qu'est-ce que c'est?
C' est . . .
–*un* apéritif
un avion
un bateau
un ticket
un tiroir

–*une* banque
une fenêtre
une main

Que fait l'élève?
Il . . .
–*vient* du bureau
va à l'école
arrive à six heures
frappe à la porte
entre dans la classe
ferme la porte
écoute une bande
fume un cigare
met son manteau
ouvre la porte
sort de la classe
part de l'école
prend un taxi
va à la maison
regarde la télévision

Que prend M. Duval?
Il prend . . .
–le stylo
le livre, *etc.*

–l'avion
le métro
le train, *etc.*

–un apéritif
un café
un verre de vin, *etc.*

–une leçon de français

Pourquoi vient-il?
Il vient pour . . .
–écouter la bande
prendre une leçon

Où va M. Duval?
Il va . . .
–au bar
au bureau
au cinéma
au magasin

–au restaurant
au super-marché
au théâtre

–à l'hôtel *(m)*

–à la banque
à la gare

D'où vient-il?
Il vient . . .
–du bar
du bureau, *etc.*

–de l'hôtel

–de la banque
de la gare

Comment vient-il?
Il vient . . .
–en avion
en bateau
en métro

–en taxi
en train
en voiture

–*à* pied

Quelle heure est-il?
Il est . . .
–deux heures
deux heures dix
deux heures et quart
deux heures et demie
trois heures moins le quart
trois heures moins cinq

À quelle heure arrive le train?
–Il arrive à deux heures.
à deux heures dix, *etc.*

Quand écoutez-vous la bande?
J'écoute la bande . . .
–avant la leçon
après la leçon

ÉCOUTEZ LA BANDE NUMÉRO 3!

QUELLE HEURE EST-IL?

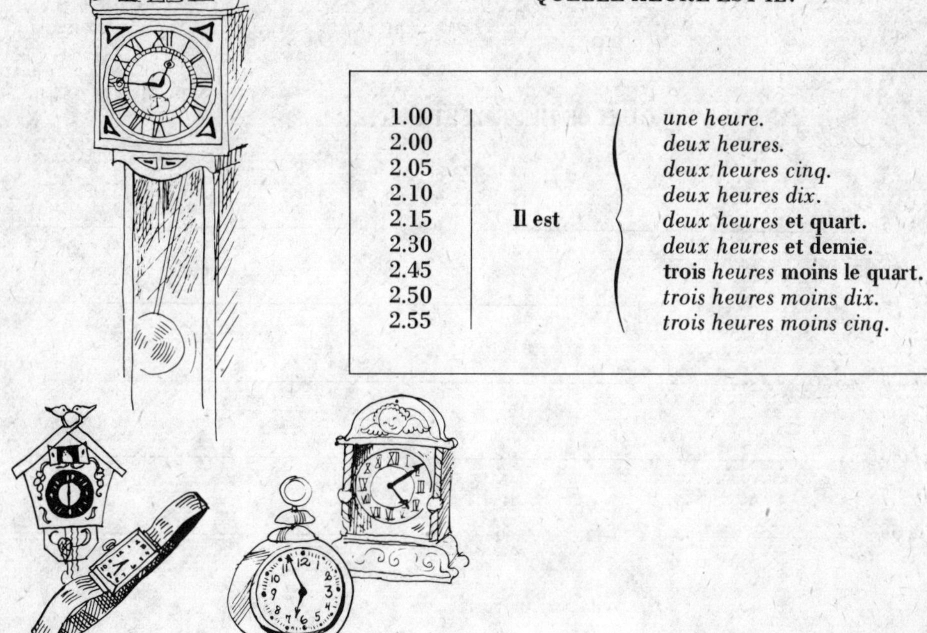

1.00		*une heure.*
2.00		*deux heures.*
2.05		*deux heures cinq.*
2.10		*deux heures dix.*
2.15	**Il est**	*deux heures* **et quart.**
2.30		*deux heures* **et demie.**
2.45		**trois** *heures* **moins le quart.**
2.50		*trois heures moins dix.*
2.55		*trois heures moins cinq.*

À QUELLE HEURE PART LE TRAIN?

– Excusez-moi, monsieur. Quelle heure est-il, s'il vous plaît?
– Il est deux heures vingt-cinq, monsieur.
– Deux heures vingt-cinq? Et le train pour Dijon, à quelle heure part-il?
– À deux heures et demie, monsieur.

Quelle heure est-il?
– **Il est** *deux heures vingt-cinq.*

À *quelle heure part le train?*
– *Il part* **à** *deux heures et demie.*

EXERCICE 15

QUELLE HEURE EST-IL?

A. 1. *8.15* *Il est* huit heures et quart

2. *1.10* Il est une heure et dix minutes

3. *7.05* Il est sept heures et cinq

4. *10.30* Il est dix heures et demie

5. *2.50* Il est trois heures mois dix

B. *Exemple:* À quelle heure allez-vous au restaurant? *(11.30)*

Je vais au restaurant à onze heures et demie.

1. À quelle heure part le train? *(10.50)*

Le train part a onze heures mois dix

2. À quelle heure arrive-t-il à Dijon? *(3.10)*

Il arrive à trois heures et dix

3. À quelle heure venez-vous à l'école? *(2.40)*

Je viens à l'école a trois heures mois vingt

4. À quelle heure entrez-vous dans la classe? *(2.45)*

J'entre dans la classe a trois heures mois le quart

5. À quelle heure ferme l'école? *(8.40)*

L'école ferme a neuf mois vingt

OUVERT OU FERMÉ?

	Ouvert de ...	à ...
Banque	9^{h}	16^{h}
Super-marché	$9^{h}30$	$19^{h}30$
Magasin	9^{h}	18^{h}
Bureau	$8^{h}30$	$17^{h}15$
Restaurant	11^{h}	23^{h}

EXERCICE 16

1. Est-ce que la banque est ouverte à huit heures?

Non, la banque n'est pas ouverte à huit heures

2. À quelle heure ouvre-t-elle?

Elle ouvre à neuf heures

3. Est-ce que le super-marché ferme avant la banque?

Non, la super-marché ne ferme pas avant le banque

4. Le bureau ouvre-t-il avant ou après le super-marché?

Le bureau ouvre avant le super marche

5. À quelle heure le restaurant ferme-t-il?

Le restaurant ferme à vingt-trois heure

MONSIEUR DUVAL VA À LILLE

Monsieur Duval est à Paris. À huit heures et demie, il met son manteau, sort de la maison, et prend un taxi pour aller à la gare.

Monsieur Duval prend le train pour Lille à la Gare du Nord. C'est une grande gare de Paris. Son train part à neuf heures et arrive à Lille à onze heures et demie.

	aller	venir	arriver	partir	sortir	prendre	mettre
je/j'	vais	viens	arrive	pars	sors	prends	mets
vous	allez	venez	arrivez	partez	sortez	prenez	mettez
il/elle	va	vient	arrive	part	sort	prend	met
S'il vous plaît . . .	Allez!	Venez!	Arrivez!	Partez!	Sortez!	Prenez!	Mettez!

EXERCICE 17

1. Monsieur Duval est-il à Paris ou à Lille?

Monsieur Duval est à Paris

2. Où va-t-il?

Il va à Lille

3. Est-ce que Lille est en France ou en Belgique?

Lille est en France

4. Est-ce que Monsieur Duval va à Lille en avion?

Non, Monsieur Duval ne va pas à Lille en avion

5. Comment Monsieur Duval va-t-il à Lille?

Il va à Lille en train

6. À quelle heure sort-il de la maison?

Il sort de la maison à huit heures et demie

7. Prend-il un taxi ou le métro?

Il prend un taxi

8. De quelle gare son train part-il?

Son train par de la Gare du Nord

9. Qu'est-ce que c'est que la Gare du Nord?

C'est une grande gare de Paris

10. À quelle heure part son train?

Son train part à neuf heures

11. Est-ce que son train arrive à Lille avant 11 heures?

Non, son train n'arrive pas à Lille avant 11 heures

12. À quelle heure le train arrive-t-il à Lille?

Le train arrive à Lille à onze heures et demie

EXERCICE 18

A) *Lisez le texte à la page 26. Maintenant* **vous** *êtes Monsieur Duval. Que faites-***vous***?*

Je suis à Paris. À huit heures et demie je mets mon manteau, sors de la maison et prends un taxi pour aller à la gare.
Je prends le train pour Lille à la Gare du Nord. C'est un grande gare de Paris. Mon train part à neuf heures et arrive à Lille à onze heures et demie

B) *Et maintenant* **je** *suis Monsieur Duval. Qu'est-ce que je fais?*

Vous... êtes à Paris. À huit heures et demie vous mettez votre manteau, sortez de la maison et prenez un taxi pour aller à la gare.
Vous prenez le train pour Lille à la Gare du Nord. C'est un grande gare de Paris. Votre train part à neuf heures et arrive à Lille à onze heure et demie

OÙ? D'OÙ? COMMENT?

	Où . . . ?	Comment . . . ?
je vais	*à la gare*	*en taxi*
vous allez	*à l'aéroport*	*en autobus*
il, elle va	**au** *bureau*	*en voiture*
	D'où . . . ?	*en métro*
		en train
je viens	*de la gare*	*en avion*
vous venez	*de l'aéroport*	**à** *pied*
il, elle vient	**du** *bureau*	

Attention!

(à + le) = **au**
(de + le) = **du**

Voici **le** *bureau.*
Je vais **au** *bureau.*
Je viens **du** *bureau.*

EXERCICE 19

Exemple: D'où vient cet avion? *(Paris)*
Il vient de Paris.

1. Où va Monsieur Duval à huit heures? *(bureau)*
Il va au bureau à huit heures

2. D'où vient-il? *(maison)*
Il vient de la maison

3. Comment va-t-il au bureau? *(train)*
Il va au bureau en train

4. Où va-t-il pour prendre le train? *(gare)*
Il va à la gare pour prendre le train

5. Où va-t-il à une heure? *(restaurant)*
Il va au restaurant à une heures

6. Comment va-t-il au restaurant? *(pied)*
Il va au restaurant à pied

7. Où va-t-il à cinq heures? *(école)*
Il va à l'école à cinq heures

8. Comment va-t-il à l'école? *(autobus)*

Il va à l'école en autobus

9. Où va-t-il après la leçon? *(maison)*

Il va à la maison après la leçon.

10. D'où vient-il? *(école)*

Il vient de l'école

OÙ EST LE BOULEVARD MONTPARNASSE?

– Pardon, monsieur l'agent, où est le boulevard Montparnasse?
– C'est par là, monsieur. Prenez cette rue!
– Merci beaucoup.

EXERCICE 20

QUEL EST L'IMPÉRATIF?

Exemple: Je prends cette rue.

Prenez cette rue, s'il vous plaît!

1. J'ouvre la porte.

Ouvrez la porte s'il vous plaît!

2. Je viens à six heures.

Venez à six heures s'il vous plaît!

3. Je regarde l'illustration.

Regardez l'illustration s'il vous plaît!

4. J'écoute la bande.

Écoutez la bande _______________ s'il vous plaît!

5. Je sors de la classe.

Sortez de la classe _______________ s'il vous plaît!

UN CAFÉ NOIR, S'IL VOUS PLAÎT!

– Bonsoir, monsieur.
– Bonsoir. Une tasse de café, s'il vous plaît!
– Très bien, monsieur. Un café au lait?
– Non, merci. Je prends mon café noir.
– Très bien. Un café noir. Tout de suite, monsieur!

	écouter	fumer	fermer	ouvrir
je/j'	écoute	fume	ferme	ouvre
vous	écoutez	fumez	fermez	ouvrez
il/elle	écoute	fume	ferme	ouvre
S'il vous plaît . . .	Écoutez!	Fumez!	Fermez!	Ouvrez!

EXERCICE 21

1. Marie va à l'école.

Vous allez à l'école

Je vais à l'école

S'il vous plaît, allez à l'école!

2. Je ne prends pas le métro.

Vous ne prenez pas le metro

Le professeur ne prend pas le metro

S'il vous plaît, ne prenez pas le metro!

3. S'il vous plaît, mettez la tasse sur la table!

La secrétaire met la tasse sur la table

Vous mettez la tasse sur la table

Je mets la tasse sur la table

4. L'élève écoute la bande.

Vous écoutez la bande.

J'écoute la bande.

S'il vous plaît, écoutez la bande!

5. S'il vous plaît, ne fumez pas en classe!

Le professeur ne fume pas en classe.

Vous ne fumez pas en classe.

Qui ne fume pas en classe?

AU REVOIR, PIERRE

Pierre – Bonjour, Marie. Comment allez-vous?
Marie – Bien, merci. Et vous?
Pierre – Très bien, mais où allez-vous Marie?
Marie – À l'école, Pierre.
Pierre – À l'école?
Marie – Oui, pour prendre une leçon d'espagnol.
Pierre – Mais, Marie . . .
Marie – Voici mon autobus. Au revoir, Pierre!
Pierre – Marie!!!

Pour quoi faire?

Je vais à la maison		**regarder** *la télévision.*
Vous prenez un taxi	**pour**	**aller** *à la gare.*
Elle va à l'école		**prendre** *une leçon.*

EXERCICE 22

Exemple: Marie va à l'école. Elle prend une leçon.
Elle va à l'école pour prendre une leçon.

1. Je vais à la gare. Je prends le train.
Je vais à la gare pour prendre le train
2. Vous prenez un taxi. Vous allez à la gare.
Vous prenez un taxi pour aller à la gare
3. Le directeur va à la maison. Il regarde la télévision.
Il va à la maison pour regarder la T.V.
4. Je prends la cassette. J'écoute la bande.
Je prends la cassette pour écouter la bande.
5. Marie ouvre la porte. Elle sort de la classe.
Elle ouvre la porte pour sortir de la classe

EXERCICE 23

QUE FAIT MARIE À L'ÉCOLE?

a) Marie va à l'école pour prendre une leçon.
b) Elle arrive à l'école avant la leçon.
c) Elle frappe à la porte et entre dans la classe.
d) Elle ferme la porte et met son livre sur la table.
e) Elle prend une leçon d'espagnol.
f) Elle sort de la classe après la leçon.
g) Elle part de l'école pour aller à la maison.
h) À la maison, elle écoute sa cassette d'espagnol.

1. *Et vous! Que faites-vous?*

a) *Je vais à l'école* pour prendre une leçon
b) J'arrive à l'école avant la leçon
c) Je frappe à la porte et entre dans la class
d) Je ferme la porte et mets mon livre su
e) Je prends un leçon de français
f) Je sors de la classe après la leçon
g) Je pars de l'école pour aller à la maiso
h) À la maison, j'écoute ma cassette de fr

2. *Qu'est-ce que je fais?*

a) *Vous* allez à l'école pour prendre une leçon
b) Vous arrivez à l'école avant la leçon
c) Vous frappez à la porte et entrez dans la classe
d) Vous fermez la porte et mettez votre livre
e) Vous prenez un leçon de fr
f) Vous sortez de la classe après la leçon
g) Vous partez de l'école pour aller à la mai
h) À la maison, vous écoutez votre cassette

EXERCICE 24

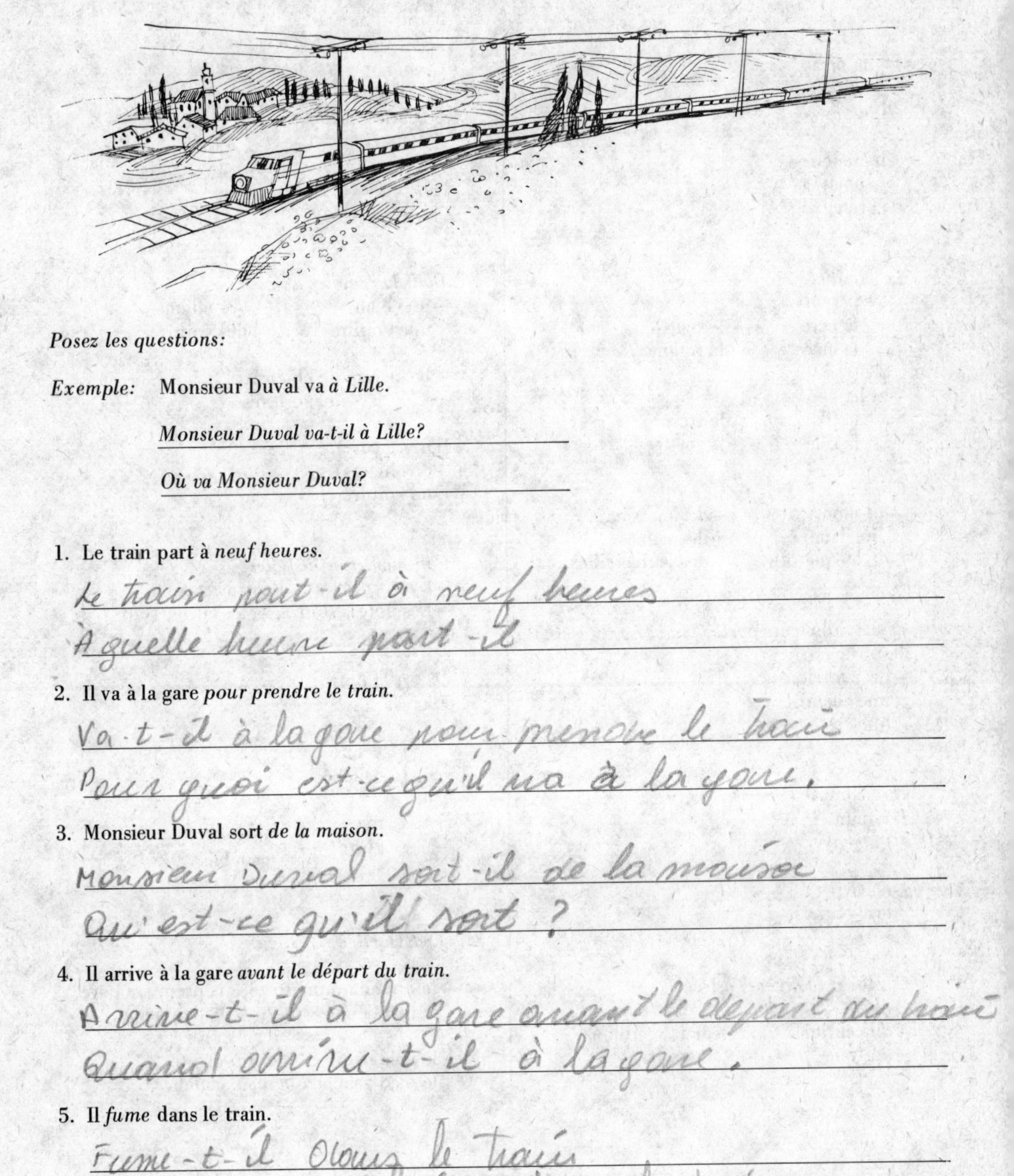

Posez les questions:

Exemple: Monsieur Duval va *à Lille*.

Monsieur Duval va-t-il à Lille?

Où va Monsieur Duval?

1. Le train part à *neuf heures*.

Le train part-il à neuf heures

A quelle heure part-il

2. Il va à la gare *pour prendre le train*.

Va-t-il à la gare pour prendre le train

Pour quoi est-ce qu'il va à la gare.

3. Monsieur Duval sort *de la maison*.

Monsieur Duval sort-il de la maison

Qu'est-ce qu'il sort ?

4. Il arrive à la gare *avant le départ du train*.

Arrive-t-il à la gare avant le départ du train

Quand arrive-t-il à la gare.

5. Il *fume* dans le train.

Fume-t-il dans le train

Qu'est-ce qu'il faire dans le train

CHAPITRE 4 – RÉSUMÉ

Le ou la:
– le chiffre
le numéro

– la bouche
la poche
la tête

La famille:
– les *parents* . . .

le père	le mari
la mère	la femme

– et les *enfants* . . .

le fils	le frère
la fille	la soeur

C'est . . .	Ce sont . . .
– *un* monsieur	– *des* messieurs
une dame	des dames
une jeune fille	des jeunes filles

Quels vêtements portez-vous?
Je porte . . .
– un pantalon
une chemise
une veste

Que compte l'élève?
Il compte . . .
– l'argent

– les livres
les voitures

Combien (d'argent) est-ce?

C'*est* . . .	Ce *sont* . . .
– un centime	– deux centimes
un franc	deux francs

Combien coûte le/la . . . ?
Il/Elle coûte . . .
– trente centimes
deux francs

– Il est cher.
Elle est chère.

Dans la rue, il y a . . .

– un chien	– *des* chiens
une voiture	des voitures

– beaucoup *de* chiens
de voitures

Il *n*'y a *pas* . . .
– *de* chien(*s*)
de voiture(*s*)

Comment sont-ils/elles?
– L'un(*e*) est . . . , l'autre est . . .
– Les un(*e*)s sont . . . , les autres sont . . .

Où est la porte?
Elle est . . .

– à { droite / gauche }

– à { ma / votre / sa } droite / gauche

Quel/Quelle . . . est-ce?
C'est . . .

– le premier numéro	/ la première page
le deuxième	/ la deuxième

– le pied droit	/ la main droite
le pied gauche	/ la main gauche

ÉCOUTEZ LA BANDE NUMÉRO 4!

C'EST COMBIEN, S'IL VOUS PLAÎT?

– Avez-vous des journaux canadiens, s'il vous plaît?
– Canadiens? Voyons . . . J'ai seulement *La Presse*, monsieur. C'est un journal de Montréal.
– Très bien. Et donnez-moi aussi deux paquets de Gauloises, s'il vous plaît!
– Nous n'avons pas de Gauloises, monsieur.
– Alors, donnez-moi des Gitanes!
– Voilà, monsieur.
– C'est combien, s'il vous plaît?
– Voyons . . . un journal à trois francs . . . et deux paquets de Gitanes à trois francs. Neuf francs, s'il vous plaît.
– Voilà, et merci!

LES NOMBRES

11 – onze
12 – douze
13 – treize
14 – quatorze
15 – quinze
16 – seize
17 – dix-sept
18 – dix-huit
19 – dix-neuf
20 – vingt

21 – vingt-*et*-un
22 – vingt-deux
23 – vingt-trois
24 – vingt-quatre
25 – vingt-cinq
26 – vingt-six
27 – vingt-sept
28 – vingt-huit
29 – vingt-neuf
30 – trente

31 – trente-*et*-un
32 – trente-deux, etc.
40 – quarante
41 – quarante-*et*-un
42 – quarante-deux, etc.
50 – cinquante
51 – cinquante-*et*-un
52 – cinquante-deux, etc.
60 – soixante
61 – soixante-*et*-un, etc.

---

70 – *soixante-dix*
71 – *soixante-et-onze*
72 – *soixante-douze*
73 – soixante-treize
74 – soixante-quatorze
75 – soixante-quinze
76 – soixante-seize
77 – soixante-dix-sept
78 – soixante-dix-huit
79 – soixante-dix-neuf

80 – quatre-vingt*s*
81 – *quatre-vingt-un*
82 – quatre-vingt-deux
83 – quatre-vingt-trois
84 – quatre-vingt-quatre
85 – quatre-vingt-cinq
86 – quatre-vingt-six
87 – quatre-vingt-sept
88 – quatre-vingt-huit
89 – quatre-vingt-neuf

90 – *quatre-vingt-dix*
91 – *quatre-vingt-onze*
92 – quatre-vingt-douze
93 – quatre-vingt-treize
94 – quatre-vingt-quatorze
95 – quatre-vingt-quinze
96 – quatre-vingt-seize
97 – quatre-vingt-dix-sept
98 – quatre-vingt-dix-huit
99 – quatre-vingt-dix-neuf

---

100 – cent
101 – cent un
102 – cent deux, etc.
111 – cent onze
112 – cent douze, etc.
120 – cent vingt

121 – cent vingt-et-un, etc.
190 – cent quatre-vingt-dix
199 – cent quatre-vingt-dix-neuf
200 – deux cent*s*
300 – trois cents
400 – quatre cents

500 – cinq cents
600 – six cents
700 – sept cents
800 – huit cents
900 – neuf cents
1000 – mille

1789 – dix-sept cent quatre-vingt-neuf
1801 – dix-huit cent un
1975 – dix-neuf cent soixante-quinze

UN PEU D'ARITHMÉTIQUE

Deux et quatre, . . . cinq fois trois . . .

EXERCICE 25

Exemple: 3 + 4 *Trois et quatre font sept.*

1. 7 + 9 Sept et neuf font seize
2. 3 x 7 Trois fois sept font vingt et un
3. 91 + 14 Quatre-vingt-onze et quatorze font cent cinq
4. 99 – 23 Quatre-vingt-dix-neuf moins vingt-trois soixante-seize
5. 9 x 9 Neuf fois neuf font quatre-vingt-un
6. 21 + 69 Vingt-et-un et soixante-neuf font quatre-vingt dix!
7. 7 x 10 Sept fois dix font soixante dix
8. 103 – 12 Cent trois moins douze font quatre-vingt-onze
9. 80 – 9 Quatre-vingt moins neuf font soixante-onze
10. 8 x 11 Huit fois onze font quatre vingt huit

QU'EST-CE QU'IL Y A À PARIS?

Voici Paris! Qu'est-ce qu'il y a à Paris? Eh bien, à Paris il y a la Tour Eiffel, la Cathédrale de Notre Dame, le Sacré Coeur, et naturellement . . . l'École Berlitz!

Il y a beaucoup de gens et beaucoup de voitures à Paris. Il y a des grandes et des petites voitures. Il y a des rues très courtes et des boulevards très longs.

À Paris il y a des rues très courtes.

Singulier et Pluriel

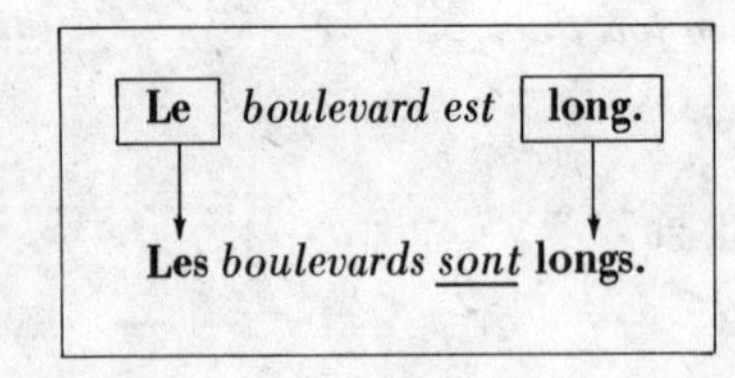

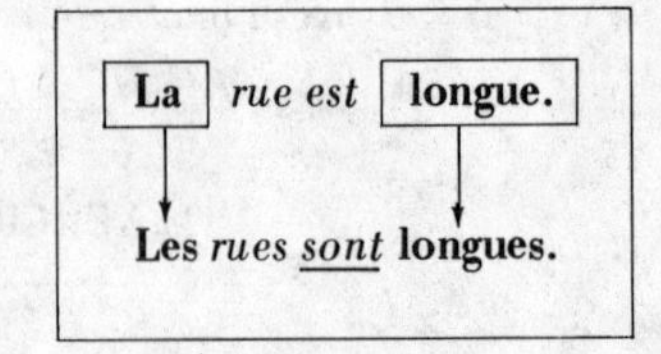

EXERCICE 26

Écrivez au pluriel:

Exemple: La voiture noire est grande. *Les voitures noires sont grandes.*

1. La table verte est petite. Les tables vertes sont petites
2. Le stylo jaune est court. Le stylos jaunes sont courts
3. La cravate rouge est longue. Les cravates rouges sont longues
4. Le paquet bleu est-il grand? Les paquets bleus sont-ils grands
5. La boîte noire est-elle petite? Les boites noires sont-elles petites

IL N'Y A PAS DE . . .

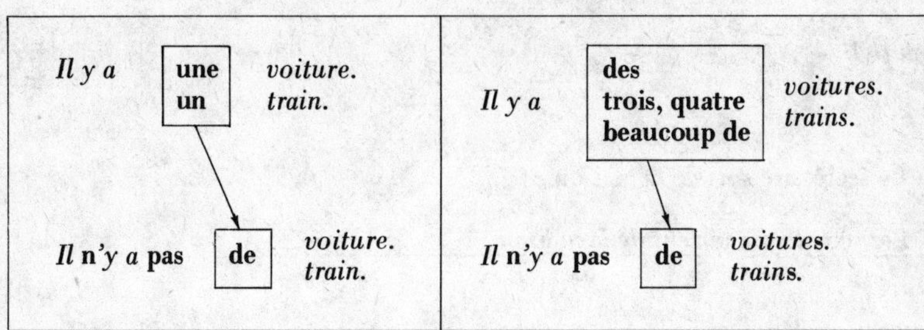

EXERCICE 27

Exemple: Il y a un train à trois heures.

Il n'y a pas de train à trois heures.

1. Il y a beaucoup de bicyclettes dans la rue.

   Il n'y a pas beaucoup de bicyclettes dans la rue.

2. Il y a de l'argent dans ce sac.

   Il n'y a pas d'argent dans ce sac

3. Il y a du café dans cette tasse.

   Il n'y a pas de café dans cette tasse.

4. Il y a six élèves dans cette classe.

   Il n'y a pas six élèves dans cette classe.

5. Il y a une École Berlitz dans cette ville.

   Il n'y a pas d'École Berlitz dans cette ville

Attention!

Le *café est bon.*	**La** *bière est bonne.*	**L'***argent est sur la table.*
Donnez-moi **du** *café.*	*Donnez-moi* **de la** *bière.*	*Donnez-moi* **de l'***argent.*

EXERCICE 28

Mettez au pluriel:

Exemple: La secrétaire sort de la maison.

Les secrétaires sortent de la maison.

1. Elle va au bureau.

Elles vont au bureau

2. Elle prend l'autobus.

Elles prennent l'autobus

3. Elle a un journal.

Ells ont des journeau

4. C'est un journal parisien.

ces sont des journeau parisien.

5. Le journal ne coûte pas cher.

Les journeau ne coutent pas cher

6. Le bureau n'ouvre pas avant neuf heures.

Les bureaux n' ouvrent pas avant neuf heu

7. La secrétaire arrive à neuf heures moins dix.

Les secretaires arrivent à neuf heures moins dix

8. La porte est fermée à clé.

Les portes sont fermée à cle.

9. La secrétaire a une clé.

Les secretaires ont des cles.

10. Elle ouvre la porte et entre.

Elle ouvrent la porte et entrent

LE VERBE *AVOIR*

– *Non, monsieur, je n'ai pas de cigarettes, pas d'alcool, pas de parfum . . .*

j'	**ai**	*je*	**n'ai pas**
vous	**avez**	*vous*	**n'avez pas**
il *elle*	**a**	*il* *elle*	**n'a pas**
nous	**avons**	*nous*	**n'avons pas**
ils *elles*	**ont**	*ils* *elles*	**n'ont pas**

EXERCICE 29

Exemple: Est-ce que la jeune fille a des cigarettes?

Oui, *elle a des cigarettes.*

Non, *elle n'a pas de cigarettes.*

1. Avez-vous une voiture française?

 Oui, j'ai une voiture française

 Non, je n'ai pas de voiture française

2. Marie a-t-elle une leçon aujourd'hui?

 Oui, elle a une leçon aujourd'hui

 Non, elle n'a pas de leçon aujourd'hui.

3. Ai-je un manteau noir?

 Oui, vous avez un manteau noir.

 Non, vous n'avez pas de manteau noir.

4. Avons-nous un journal anglais?

 Oui, nous avons un journal anglais

 Non, nous n'avons pas de journal anglais

5. Avez-vous des enfants?

 Oui, j'ai des enfants

 Non, je n'ai pas des enfants

CETTE RUE EST TRÈS LONGUE

Pierre
Marie
Le garçon du café
La demoiselle du cinéma

Pierre – Qu'est-ce que vous prenez, Marie?
Marie – Une tasse de thé, s'il vous plaît, Pierre.
Pierre – Garçon!
Garçon – Oui, monsieur.
Pierre – Un thé pour mademoiselle, s'il vous plaît!
Garçon – Et pour vous, monsieur?
Pierre – Une bière, s'il vous plaît!
Garçon – Nous n'avons pas de bière, monsieur.
Pierre – Eh bien, un café pour moi.
Garçon – Très bien, monsieur. Un café et un thé.

(Le garçon part et revient avec deux tasses.)

Garçon – Votre café, monsieur. Et un thé pour mademoiselle.
Marie – Merci beaucoup.
Pierre – Vous prenez votre café avec du sucre, Marie?
Marie – Oui, s'il vous plaît.
Pierre – Garçon, nous n'avons pas de sucre.
Garçon – Oh, excusez-moi, monsieur.

(Le garçon met du sucre devant Marie.)

Garçon – Voilà, mademoiselle.
Marie – Merci beaucoup.
Pierre – Dites, Marie, vous venez au cinéma avec moi? Il y a un très bon film au Palais Berlitz.
Marie – Avec plaisir, Pierre. Merci beaucoup.

(Ils sortent du café. Vingt minutes après, ils arrivent devant le Palais Berlitz.)

Marie – Oh là là! Cette rue est longue, n'est-ce pas, Pierre?
Pierre – Oui, elle est très longue. Mais voici le cinéma. *(à la demoiselle du cinéma)* Deux, s'il vous plaît!
La demoiselle – Mais monsieur, il est une heure, et ce cinéma n'ouvre pas avant deux heures et demie.
Pierre – Alors, Marie, vous revenez avec moi dans une heure et demie?
Marie – Très bien, mais, s'il vous plaît, Pierre, revenons en taxi! Cette rue est très longue!!

EXERCICE 30

1. Pierre prend-il une bière?

Non, il ne prend pas de bière

2. Que prend-il?

Il prend un café

3. Qui est avec lui au café?

Marie est avec lui au café

4. Est-ce que Marie prend son café avec ou sans sucre?

Marie prend son café avec sucre.

5. Où est-ce qu'il y a un bon film?

Il y a un bon film au Palais Berlitz

6. Marie va-t-elle au cinéma avec Pierre?

Oui, ell va au cinéma avec Pierre.

7. Vont-ils au cinéma en autobus?

Non, ils ne vont pas en autobus

8. Comment vont-ils au cinéma?

Ils vont au cinema à pied.

9. Est-ce que le cinéma est ouvert ou fermé?

Le cinema est fermé

10. À quelle heure ouvre-t-il?

Il ouvre a deux heures et demie.

11. Pierre et Marie reviennent-ils au cinéma?

Oui, ils reviennent au cinema

12. Dans combien de temps reviennent-ils?

Ils reviennent dans un heure et demie

LA FAMILLE LATOUR

Voici la famille Latour. Monsieur Latour est assis devant la télévision à côté de sa femme. Son fils, Jean-Claude, est debout derrière son père. La fille de Monsieur Latour est assise à côté de son frère, entre son père et sa mère.

EXERCICE 31

Écrivez: **le père, le frère, le fils, le mari, la mère, la soeur, la fille, la femme, la famille, les parents, les enfants.**

Dans la famille Latour il y a quatre personnes: les parents, et les deux enfants. Monsieur Latour est a le mari de Madame Latour et le pere de Jacqueline et de Jean-Claude. Madame Latour est la femme de Monsieur Latour et la mere de Jacqueline et Jean-Claude. Jacqueline et Jean-Claude sont les enfants de Monsieur et Madame Latour. Jacqueline est la filles et Jean-Claude est le fils. Jacqueline est la soeur. de Jean-Claude. Jean-Claude est le frere de Jacqueline.

EXERCICE 32

1. Est-ce que la famille Latour a la télévision?

Oui, la famille Latour a la television

2. Est-ce qu'ils regardent la télévision en ce moment*?

Non, ils ne regardent pas la T.V. en ce moment

3. Monsieur et Madame Latour ont-ils des enfants?

Oui, ils ont des enfants

4. Combien d'enfants ont-ils?

Ils ont deux enfants

5. Combien de filles ont-ils?

Ils ont une fille.

6. Jacqueline a-t-elle deux frères?

Non elle n'a pas deux freres

7. Combien de frères a-t-elle?

Elle à un frere

8. Qui est assis, Jean-Claude ou Jacqueline?

Jacqueline est assise,

9. Où est-elle assise?

Elle est assise à côté de son frere

10. Combien de chaises y a-t-il?

Il y a une chaise .

*en ce moment = maintenant

Cette ville n'est pas grande.
Au contraire, elle est très petite!

EXERCICE 33

Exemple:	Cette ville n'est pas *grande.*	*Elle est petite.*
1.	Cette rue n'est pas *longue.*	Elle est court
2.	Cet élève n'est pas *assis.*	Il est debout.
3.	Pierre n'est pas *ici.*	Il est là
4.	Le professeur n'arrive pas *après* la leçon.	Il arrive avant la leçon
5.	Ce n'est pas ma main *gauche.*	C'est ma main droite
6.	Les taxis ne sont pas *derrière* la gare.	Ils sont devant la gare
7.	Vous n'*ouvrez* pas la fenêtre.	Vous fermez la fenetre
8.	Le chat n'est pas *sur* la chaise.	Il est sous la chaise
9.	La secrétaire n'*entre* pas au bureau à cinq heures.	Elle sort de bureau
10.	Le train n'*arrive* pas à sept heures.	Il depart a sept heures

EXERCICE DE PRONONCIATION

Prononcez : **an – in – on – un**

an	bande	blanche	blanc
	La bande n'est pas blanche.		
in	vin	chien	train
	un vin américain		
on	mon	long	bon
	L'avion va à Lyon.		
un	un	d'un	lundi
	Lundi, elle va à Verdun.		
	un bon vin blanc		
eu	deux	bleu	
	le chien de ce monsieur		
eur	une heure		
	de quelle couleur		
	Monsieur le directeur		
ier – ière	pied	Pierre	
	premier	première	
	dernier	dernière	

CHAPITRE 5 – RÉSUMÉ

Le ou la:

– l'alphabet *(m)*	– l'adresse *(f)*
le calendrier	la carte postale
le jour	la langue
le mot	la lettre
le nom	la méthode
le prénom	la musique
le sport	la phrase
	la politique
	la réponse
	la semaine

Que fait l'élève?
Il . . .

– *apprend* le français	– *lit* un peu
comprend bien	*parle* français
demande «Pourquoi?»	*pose* des questions
dit «Bonjour»	*répond* correctement
écrit un mot	

Qu'est-ce qu'il a fait hier?
Hier . . .
– il *était* à l'école
il *avait* une leçon de français

– il *a* { demandé, écouté, fermé, frappé, parlé, posé *(une question)*, regardé, répété; dit, écrit; appris, compris, mis, pris; lu, répondu; ouvert }

Lisez-vous { *le livre* / *la lettre?* / *les phrases* }

– Oui, je { *le* / *la* / *les* } lis.

– Non, je ne { *le* / *la* / *les* } lis pas.

Écoutez-vous { *le magnétophone* / *la bande?* / *les cassettes* }

– Oui, je { *l'* / *les* } écoute.

– Non, je ne { *l'* / *les* } écoute pas.

À qui répondez-vous?
Je réponds . . .
– à M. Dupont
– à la secrétaire
– au professeur

Quelle langue parle-t-on ici?
Ici on parle . . .
– allemand
anglais
espagnol
français
italien, *etc.*

Quel jour est-ce . . .?
Aujourd'hui c'est . . .

– lundi	– vendredi
mardi	samedi
mercredi	dimanche
jeudi	

– Demain, c'est lundi.
– Hier, *c'était* dimanche.

ÉCOUTEZ LA BANDE NUMÉRO 5!

ÉMILE ÉCOUTE LA CASSETTE

Émile est un élève de l'École Berlitz. Il prend des leçons d'allemand. Il *les* prend de six heures à sept heures et demie.

Émile prend l'autobus à cinq heures pour aller à l'école. Il *le* prend devant son bureau. Il arrive à l'école à six heures moins cinq. Il va à la porte de sa classe, *l'*ouvre, et entre dans la salle. Il dit « Bonjour » à son professeur. (Il *le* dit en allemand!)

Il met son livre devant lui sur la table, mais il ne *le* lit pas beaucoup en classe. En classe il parle avec son professeur. Le professeur pose des questions, et Émile répond en allemand. Il écoute son professeur et répète après lui.

Après la leçon, Émile et son professeur vont à la porte et sortent de la classe. Émile sort de l'école et va dans la rue pour prendre l'autobus.

Vingt minutes après, il arrive à la maison. Il entre et prend son magnétophone. Il *le* met sur la table devant lui. Ensuite il prend une cassette et *la* met dans le magnétophone. Il écoute la cassette et parle en allemand.

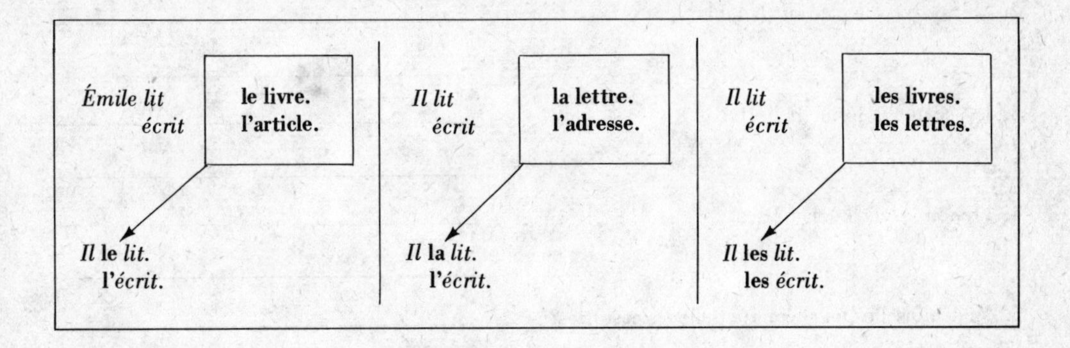

EXERCICE 34

Répondez avec **le, la** *ou* **les:**

1. Écrivez-vous cet exercice?

Oui, Nous l' ecrivons

2. Écrivez-vous les réponses dans votre livre?

Oui, Nous les ecrivons dans notre livre

3. Apprenez-vous l'allemand?

Oui, Nous l'apprenons

4. Lisez-vous votre livre en classe?

Non, je ne le lis pas en classe

5. Où le lisez-vous?

Je le lis à la maison

EXERCICE 35

Exemple: Le directeur prend-il le taxi? *Oui, il* **le** *prend.*

Non, il ne **le** *prend pas.*

1. Le professeur ouvre-t-il la fenêtre?

Oui, il l' ouvre

Non, il ne l'ouvre pas

2. Mettez-vous le café sur la table?

Oui, je le mets

Non, je ne le mets pas

3. Est-ce que je ferme la boîte?

Oui vous la fermez

Non, vous ne la fermez

4. Prenons-nous les cigarettes?

Oui, nous les prenons

Non, nous ne les [illegible]

5. Mademoiselle Duval écoute-t-elle les cassettes?

Oui, elle les ecoute

EXERCICE 36

APPRENONS LES VERBES!

Infinitif	*dire*	___	___	___	___	___	___
je/j'	___	*apprends*	___	___	___	___	___
vous	___	___	*répondez*	___	___	___	___
il/elle	___	___	___	*écrit*	___	___	___
nous	___	___	___	___	*lisons*	___	___
ils/elles	___	___	___	___	___	*mettent*	___
S'il vous plaît . . .	___	___	___	___	___	___	*Répétez!*

Infinitif	*être*	___	___	___	___	___	___
je/j'	___	*vais*	___	___	___	___	___
vous	___	___	*venez*	___	___	___	___
il/elle	___	___	___	*a*	___	___	___
nous	___	___	___	___	*faisons*	___	___
ils/elles	___	___	___	___	___	*ouvrent*	___
S'il vous plaît . . .	___	___	___	___	___	___	*Parlez!*

AUJOURD'HUI ET HIER

Elle téléphone.

Elle a téléphoné.

Aujourd'hui, . . .

je	*parle*
vous	*parlez*
il/elle	*parle*
nous	*parlons*
ils/elles	*parlent*

⇨

Hier, . . .

j'ai	**parlé**
vous **avez**	
il/elle **a**	
nous **avons**	
ils/elles **ont**	

je (j') . . .	*vous*	*j'ai* *vous avez, etc.*
écoute	écoutez	écouté
ferme	fermez	fermé
fume	fumez	fumé
parle	parlez	parlé
répète	répétez	répété
téléphone	téléphonez	téléphoné
ouvre	ouvrez	ouvert
mets	mettez	mis
prends	prenez	pris
apprends	apprenez	appris
réponds	répondez	répondu
écris	écrivez	écrit
lis	lisez	lu
dis	dites	dit

EXERCICE 37

Exemple: La secrétaire prend le stylo.

Elle a pris le stylo.

1. Les professeurs n'écrivent pas en classe.

Ils n'ont pas écrit en classe

2. Vous regardez la télévision.

Vous avez regardé la télevision

3. Monsieur Duval ouvre une bouteille de vin.

Il a ouvert une bouteille de vin

4. Nous n'écoutons pas la bande numéro dix.

Nous, n'avons pas écouté la bande numero dix

5. Les élèves répondent au professeur.

Ils ont répondu au professeur

6. Nous ne fermons pas la porte.

Nous n'avons pas fermé la porte.

7. Madame Duval ne met pas de manteau.

Elle n'a pas mis de manteau

8. J'apprends beaucoup de mots français.

J'ai appris beaucoup de mots français.

9. Monsieur Duval lit un article sur la politique.

Il à lu un article sur la politique.

10. Je ne prends pas le train pour aller à la maison.

Je n'ai pas pris le train pour aller à la mai

EXERCICE 38

QU'EST-CE QUE MONSIEUR DUVAL A FAIT HIER?

Aujourd'hui . . .

Monsieur Duval prend le métro à huit heures pour aller au bureau. Au bureau il dit « Bonjour » à sa secrétaire, et il lit les télégrammes. Ensuite, il regarde un peu le journal, il parle au téléphone, il ouvre sa correspondance et il écrit les réponses. (Il répond en français.)

a) *Et hier . . . ?*

Hier, Monsieur Duval a pris . . . le métro a huit heures pour aller au bureau. Au bureau il a dit "Bonjour" à sa secretaire, et il a lu les telegrammes. Ensuite, il a regardé un peu le journal, il a parlé au telephone, il a ouvert sa correspondance et il a ecrit les reponses. (Il a repondu en français.)

b) *Et vous!*

Hier, j'ai pris le métro a huit heures pour aller au bureau. Au bureau j'ai dit "Bonjour" à ma secretaire, et j'ai lu les telegramme. Ensuite j'ai regardé un peu le journal, j'ai parlé au telephone, j'ai ouvert ma correspondance et j'ai ecrit les reponses. J'ai repondu en français.

EXERCICE 39

– *Voilà, Marie.*
– *Merci, Pierre.*

Quand-il dit . . .   . . . que répond-elle?

Exemple: Merci   c

Quand-il dit . . .		. . . que répond-elle?
1. Bonjour!	e	a) *Le voilà!*
2. Comment allez-vous?	d	b) *Merci!*
3. Madame Duval, voici Monsieur Dupont.	h	c) *De rien!*
4. Donnez-moi cette lettre, s'il vous plaît!	f	d) *Bien, merci!*
		e) *Bonjour!*
5. Parlez-vous français?	g	f) *La voilà!*
6. Voici vingt francs pour vous!	b	g) *Bien sûr!*
7. Où est le directeur?	a	h) *Enchantée!*

CHAPITRE 6 — RÉSUMÉ

Le ou la:
— le carrefour
l'étage *(m)*
le magasin
le mur
le plancher
le rez-de-chaussée
le travail

— la chambre
la machine à écrire
l'usine *(f)*

Comment est-il/elle?
Il / Elle est . . .
— large
étroit*(e)*

Le café est-il rouge ou vert?
— Il *n'*est *ni* rouge *ni* vert.

Présent et passé:

Aujourd'hui je . . .	Hier j'*ai* . . .
— paye	— payé
travaille	travaillé

Quel est votre travail?
Je suis . . .
— ingénieur
professeur
garçon

Où travaillez-vous?
Je travaille . . .
— au bureau
à la maison
à l'école

— dans un restaurant
dans une usine

Combien d'heures travaillez-vous?
Je travaille . . .
— huit heures par jour
quarante heures par semaine

— *de* huit heures *à* cinq heures

Quand travaillez-vous?
Je travaille . . .
— tout le temps
tous les jours
toute la journée
toutes les semaines

Où est votre bureau?
Il est . . .
— à côté de l'école
a côté du restaurant

— entre l'école et le restaurant

À quel étage est votre bureau?
Il est . . .
— au rez-de-chaussée

— au { premier / deuxième / troisième étage / quatrième / cinquième }

— en haut
en bas

Y a-t-il quelqu'un à la porte?
— Oui, il y a *quelqu'un.*
— Non, il *n'* y a *personne.*

Y a-t-il quelque chose dans votre poche?
— Oui, il y a *quelque chose.*
— Non, il *n'*y a *rien.*

ÉCOUTEZ LA BANDE NUMÉRO 6!

PARLONS FRANÇAIS!

(Dans la classe)

L'élève –	Monsieur, monsieur le professeur!
Le professeur –	Oui, mademoiselle?
L'élève –	Je ne comprends pas, monsieur.
Le professeur –	Non?
L'élève –	Non, je ne comprends pas : nous n'avons pas de crayons, pas de livres . . .
Le professeur –	Non, mademoiselle.
L'élève –	Nous n'écrivons pas, nous ne lisons pas.
Le professeur –	Non, mademoiselle.
L'élève –	Nous apprenons l'alphabet, mais nous ne lisons pas!
Le professeur –	Eh non, mademoiselle.
L'élève –	Je ne comprends pas cette méthode. Cette école . . . n'est pas une école! Je n'ai pas de livres!
Le professeur –	Mais, mademoiselle, vous avez un magnétophone et vous avez des bandes. Vous écoutez les bandes, n'est-ce pas?
L'élève –	Oui, monsieur, mais . . .
Le professeur –	Et vous répétez, n'est-ce pas?
L'élève –	Oui, mais . . .
Le professeur –	Et vous parlez.
L'élève –	Oui, monsieur, mais je n'ai pas de livres et je ne lis pas. Je n'écris ni en français ni en anglais ni . . .
Le professeur –	En anglais? Mademoiselle! ! ! Apprenez-vous l'anglais ou le français ici?
L'élève –	J'apprends le français, mais je n'ai pas de livres! Je ne lis pas. Je ne lis pas!
Le professeur –	Mais, mademoiselle, vous écoutez, vous répétez, vous répondez, vous comprenez, vous parlez français . . .
L'élève –	Ah, c'est *ça* la méthode Berlitz?
Le professeur –	Eh oui, mademoiselle!

EXERCICE 40

1. Combien de personnes y a-t-il sur cette illustration?

   Sur cette illustration il y a deux personnes

2. Combien d'enfants y a-t-il?

   Il n'y a pas d'enfants

3. Qui est assis derrière l'élève?

   Il n'y a personne assis derrière lui.

4. Est-ce que quelqu'un est assis devant elle?

   Oui, le professeur est assis devant elle.

5. Est-ce qu'elle parle à quelqu'un?

   Oui elle parle a quelqu'un

6. À qui parle-t-elle?

   Elle parle au professeur.

7. Est-ce que le professeur a quelque chose dans la main?

   Oui, il a quelque chose dans la main.

8. Qu'est-ce qu'il a dans la main?

   il a une livre dans la main

9. L'élève pose-t-elle beaucoup de questions?

   Oui elle pose beaucoup de questions

10. Quelle langue apprend-elle à l'école?

    Elle apprend le francais.

Elle a **quelque chose** *dans la main droite.* *Elle* **n'a rien** *dans la main gauche.*	*Il y a* **quelqu'un** *devant le professeur.* *Il* **n'y a personne** *derrière lui.*

EXERCICE 41

A. *Mettez à la forme négative:*

Exemple: Vous avez quelque chose à faire aujourd'hui.
Vous n'avez rien à faire aujourd'hui.

1. Je mets quelque chose dans mon café.
Je ne mets rien dans mon coffe

2. Il y a quelqu'un à la porte.
Il n'y a personne à la port.

3. Vous avez parlé à quelqu'un.
Vous n'avez parlé à persome.

4. Il y a quelque chose d'intéressant dans cet article.
Il n'y a rien d'interessant dans cet article.

5. Monsieur Duval a dit quelque chose à sa femme.
Il n'a dit rien à sa femme.

B. *Posez la question:*

Exemple: Je ne fais rien.
Est-ce que vous faites quelque chose?

1. Je n'ai rien compris.
Est-ce que vous avez compris gulque chose

2. Personne n'arrive.
Qui arrive?

3. Il n'y a rien à faire dans cette ville.
Est-ce qu'il y a quelque chose à faire dans cette ville

4. Marie ne téléphone à personne.
Est-ce qu'elle telephone à quelqu'un?

5. Nous n'avons rien dit à personne!
Est-ce que vous avez dit quelque chose à quelqu'un

AU BUREAU DE MONSIEUR DUVAL

Voici le bureau de Monsieur Duval. Le bureau n'est pas au rez-de-chaussée mais au deuxième étage. Une jeune fille est assise devant une machine à écrire. C'est Mademoiselle Simon, la secrétaire de Monsieur Duval. Elle écrit une lettre.

Et voilà Monsieur Duval. Il ouvre la porte et entre dans le bureau. Il parle à sa secrétaire. Il a quelque chose dans la main gauche. C'est une cigarette. Monsieur Duval fume beaucoup. Mademoiselle Simon, elle, ne fume pas.

EXERCICE 42

1. Est-ce le bureau de Monsieur Latour ou de Monsieur Duval?
   C'est le bureau de Monsieur Duval
2. À quel étage est le bureau?
   Le bureau est au deuxieme etage.
3. Qui est la jeune fille?
   Elle est Mademoiselle Simon, sa secretaire
4. Est-elle debout ou assise?
   Elle est assise.
5. Où est-elle assise?
   Elle est assise devant une machine à écrire
6. Que fait-elle?
   Elle ecrit une lettre
7. Qui ouvre la porte?
   M. Duval ouvre la porte.
8. À qui Monsieur Duval parle-t-il?
   il parle à M. Simon
9. Que fume-t-il?
   il fume une cigarette.
10. La secrétaire fume-t-elle aussi?
    No, elle ne fume pas!

À quel étage . . . ?

R.d.c.	:	Café de Paris
1er	:	Restaurant et Bar
2^{e}	:	École Berlitz / Bureau de Monsieur Duval
3^{e}	:	Consulat Suisse

EXERCICE 43

Répondez:

1. Combien d'étages y a-t-il dans cet immeuble?

   il y a trois étages dans cet immeuble.

2. À quel étage est le bureau de Monsieur Duval?

   Son bureau est au deuxième étage.

3. Le Café de Paris, est-il au deuxième étage aussi?

   Non, le Café de Paris n'est pas au deuxième

4. À quel étage est-il?

   il est au R.d.c.

5. À quel étage est le Consulat Suisse?

   il est au troisième

6. L'École Berlitz, est-elle au premier étage ou au deuxième?

   il est au deuxième

7. À quel étage est le restaurant?

   Le restaurant est au premier.

8. Et le bar?

   il est au premier aussi

C'est . . .	*Nous arrivons . . .*	*Nous sortons . . .*
le *théâtre*	**au** *théâtre*	**du** *théâtre*
la *banque*	**à la** *banque*	**de la** *banque*
l'*aéroport (un)*	**à l'***aéroport*	**de l'***aéroport*
l'*école (une)*	**à l'***école*	**de l'***école*

EXERCICE 44

1. Où va-t-on pour prendre l'avion?

   On va à l'aeroport.

2. D'où part l'avion?

   Il part de l'aeroport

3. Où prend-on le train?

   On prend le train a la gare.

4. Où allez-vous pour apprendre le français?

   Nous allons à l'ecole pour apprendre le f

5. D'où sortez-vous après la leçon?

   Nous sortons de l'ecole apres la leçon

6. Où allez-vous pour prendre votre voiture?

   Je vais au garage pour prendre ma voiture

7. Où allons-nous pour travailler?

   Nous allons au bureau pour travailler

8. D'où sortons-nous à cinq heures?

   Nous sortons de la banque a cinq heure

EXERCICE 45

Exemple: Prenez-vous un bifteck ou une bière? *(sandwich au jambon)*
Je ne prends ni bifteck ni bière.
Je prends un sandwich au jambon.

1. Allez-vous à l'école ou au bureau? *(cinéma)*

Je ne vais ni à l'ecole ni au bureau

Je vais au cinema.

2. Est-ce que la cravate coûte dix francs ou quinze francs? *(vingt francs)*

Elle ne coute ni dix ni quinze francs

Elle coute vingt francs.

3. Est-ce que Monsieur Leblanc est à Dijon ou à Lille? *(Paris)*

Il n'est ni a Dijon ni a Lille.

Il est à Paris.

4. Parlons-nous allemand ou anglais en classe? *(français)*

Nous ne parlons ni allemand ni anglais

Nous parlons français

5. Qu'avez-vous comme voiture, une Rolls Royce ou une Fiat? *(Renault)*

Je n'ai ni R.R. ni Fiat.

J'ai une Renault

EXERCICE 46

Écrivez: **derrière, sur, devant, dans, entre, à, au, de, du**

Exemple: Le livre est *sur* la table.

1. Le professeur et l'élève sont ________________ la classe.
2. La classe numéro sept est ________________ les classes numéros six et huit.
3. Le professeur est debout ________________ l'élève.
4. La carte est ________________ le professeur.
5. L'élève est assis ________________ la chaise.
6. ________________ la table il y a un téléphone.
7. Le professeur pose une question ________________ l'élève.
8. L'élève répond ________________ professeur.
9. Le livre est ________________ côté ________________ cendrier.
10. Après la leçon, les deux hommes sortent ________________ la classe.

EXERCICE DE PRONONCIATION

Prononcez :

ch	le chat	la chaise	le chien	
	Le chien est sous la chaise.			
j	je suis	Brigitte		
	Gérard	Gilbert	Ginette	
	le boulevard St. Germain			
k	carte	cassette	école	
	Cette cassette coûte quatre francs.			
l	le livre	le stylo		
	L'élève lit à l'école.			
p	pa	papa	Paris	
	Papa va à Paris.			
r	–ert	vert	couleur	
	port	sœur	sur	jour
	Bonjour! Entrez, ma sœur.			
	rouge	Robert	garage	
	la première rue à droite			
	grand	gris	écrit	crayon
	Je prends mon crayon gris.			
	il ouvre	vous ouvrez		
v	Vous avez devant vous la ville de Versailles.			

EXERCICE 47

Écrivez **être** *ou* **avoir :**

Mlle Marie Duval __________ la fille de M. et Mme Duval. M. et Mme Duval n' __________ pas d'autres enfants. Ils __________ français et Marie aussi __________ française. *Vous* n' __________ pas français, mais vous __________ un professeur de français, n'est-ce pas? Votre professeur __________ des livres, mais il n' __________ pas de magnétophone. Moi non plus, je n' __________ pas de magnétophone. Et vous? __________ - vous un magnétophone? Est-ce que vous __________ devant votre magnétophone maintenant?

__________ -vous à la maison maintenant? Est-ce que vous __________ un appartement ou __________ -vous à l'hôtel? Comment __________ votre appartement? Combien de pièces __________ -vous? À quel étage __________ votre appartement? Ma famille et moi, nous __________ au cinquième et il n'y __________ pas d'ascenseur!

Parlez de votre appartement!

EXERCICE 48

A. *Écrivez* **du, de la** *ou* **de l' :**

Je viens ___*du*___ restaurant.

1. Le taxi vient __________ gare.
2. Le bateau sort __________ port.
3. Les élèves viennent __________ maison.
4. Pierre et Marie ne sortent pas __________ hôtel.
5. Vous venez __________ théâtre.
6. Nous sortons __________ aéroport.
7. Nous venons __________ rue.
8. Votre voiture sort __________ garage.
9. Je viens __________ bureau.
10. Les enfants sortent __________ école à cinq heures.

B. *Écrivez* **de, du, de la, de l'** *ou* **des :**

Voici le journal ___*de*___ Pierre et voilà le cigare ___*du*___ directeur.

1. Mais où est le livre ___de___ jeune fille?
2. La cassette ___du___ français est à côté ___des___ autres cassettes.
3. Le paquet ___des___ cigarettes est sur le livre ___du___ français.
4. C'est un chapeau ___de___ Paris.
5. Ouvrez la porte ___de l'___ hôtel, s'il vous plaît!

C. *Écrivez* **au, à la** *ou* **à l' :**

Je vais ___*au*___ cinéma.

1. Le taxi va ___à la___ gare.
2. Le bateau arrive ___au___ port de Marseille.
3. Les élèves viennent ___a l'___ école.
4. Pierre et Marie ne vont pas ___a l'___ hôtel.
5. Nous arrivons ___a l'___ aéroport.
6. Aujourd'hui, je dis « bonjour » ___à l'___ employé.
7. Hier, j'ai dit « bonjour » ___a là___ sœur de M. Gros.
8. Nous avons parlé ___au___ directeur.
9. Quelqu'un a téléphoné ___a la___ secrétaire.
10. En général, vous répondez bien ___au___ professeur.

CHAPITRE 7 – RÉSUMÉ

Le ou la:
– l'appartement *(m)*
l'ascenseur *(m)*
le concert
l'escalier *(m)*
l'escalier mécanique *(m)*

– la pièce

– les oreilles *(f)*

– les journaux *(m)*
les pieds *(m)*

En quelle année sommes-nous?
Nous sommes . . .
– en 1975, en 1981, *etc.*

Quel mois est-ce?
C'est . . .

– janvier	– juillet
février	août
mars	septembre
avril	octobre
mai	novembre
juin	décembre

Le combien est-ce aujourd'hui?
C'est aujourd'hui *le* . . .
– premier janvier *(1er janvier)*
deux janvier *(2 janvier)*
dix janvier *(10 janvier)*
trente-et-un janvier *(31 janvier)*

Beaucoup de fois:
– la première fois
la deuxième fois
l'avant-dernière fois
la dernière fois

Commencer et finir:
– L'alphabet commence par la lettre A.
finit par la lettre Z

À quelle heure . . . ?
– Le concert / Le film / La leçon } commence / finit } à . . . heures.

Où habitez-vous?
J'habite . . .

– *à* Paris	– *dans* un hôtel
à Bruxelles	*dans* un appartement
– *en* France	– *au* rez-de-chaussée
en Suisse	*au* 1er étage
	au 2e étage
– *aux* États-Unis	

– loin d'ici
près de la gare

À qui est ce (cette) . . . ?
C'est . . .
– mon/son journal
ma/sa clé

– notre / votre / leur } journal, clé

À qui sont ces . . . ?
Ce sont . . .
– mes / vos / ses / nos / leurs } journaux / clés

Que font les élèves?
Ils . . .
– commencent
finissent
disent
lisent
écrivent
répondent, *etc.*

ÉCOUTEZ LA BANDE NUMÉRO 7!

AU CONSULAT DU CANADA

Marie — Pardon, monsieur. Où est le consulat du Canada, s'il vous plaît?

Le garçon d'ascenseur — Au quatrième, mademoiselle . . . Ici! C'est la deuxième porte à gauche.

Marie — Merci, monsieur.

(Marie frappe à la porte et entre.)

Marie — Bonjour, madame. Je suis Mlle Duval.

La secrétaire — Comment? Pardon, mademoiselle, je n'ai pas entendu. Quel est votre nom?

Marie — Du–val. D – U – V – A – L.

La secrétaire — Ah! Bien, mademoiselle.

Marie — Avez-vous mon passeport?

La secrétaire — Oui, mademoiselle. Vous habitez à Paris?

Marie — Oui, madame, avec ma famille.

La secrétaire — Que fait votre père, Mlle Duval?

Marie — Il travaille dans un bureau.

La secrétaire — Et vous? Est-ce que vous travaillez?

Marie — Oui, mais je vais aussi à l'école.

La secrétaire — Quand partez-vous pour Montréal?

Marie — Mardi.

La secrétaire — Avez-vous de la famille au Canada?

Marie — Oui, ma sœur habite à Montréal.

La secrétaire — Très bien. Voilà votre passeport, mademoiselle.

Marie — Merci bien, madame. Au revoir, madame.

La secrétaire — Au revoir, mademoiselle.

Où est le consulat?

Marie va au consulat pour avoir son passeport. Elle demande où est le consulat : il est au quatrième. Elle frappe à la porte et entre.

Marie demande son passeport

Marie dit son nom. La secrétaire ne comprend pas et Marie répète : « Du–val ». La secrétaire lui demande où elle habite, où travaille son père et quand elle part pour Montréal.

EXERCICE 49

Répondez à ces questions:

1. À quel étage Marie va-t-elle?

Elle va au quatrieme

2. Est-ce qu'elle prend l'escalier?

Non, elle ne prend pas l'escalier

3. Que prend-elle?

Elle prend l'ascenseur.

4. Qu'est-ce qu'il y a au quatrième, un consulat ou un restaurant?

Au quatreme il y a un consula

5. Pourquoi Marie va-t-elle au consulat?

Elle va au consulat pour avoir son passeport

6. Où habite Marie?

Elle habite a Paris.

7. Où va-t-elle, au Canada ou aux États-Unis?

Elle va au Canada

8. À quelle ville va-t-elle?

Elle va a Montreal

9. Quel jour part-elle?

Elle part mardi

10. Est-ce qu'elle a de la famille au Canada?

oui elle a de la Famille au Canada

EXERCICE 50

Marie **a ouvert** *la porte du consulat et* **a parlé** *à la secrétaire.* *La secrétaire* **a posé** *des questions et Marie* **a répondu.**

Mettez au passé :

Je *parle* au directeur.

J' ai parlé au directeur.

1. Vous *écoutez* de la musique.

   Vous ______________ de la musique.

2. Il *répète* les mots.

   Il ______________ les mots.

3. Nous ne *posons* pas de questions en anglais.

   Nous ______________ de questions en anglais.

4. Marie *regarde* le livre d'illustrations.

   Marie ______________ le livre d'illustrations.

5. Vous *répondez* au téléphone.

   Vous ______________ au téléphone.

6. Est-ce que vous *lisez* « Paris-Match »?

   Est-ce que vous ______________ « Paris-Match »?

7. Est-ce qu'ils *lisent* « Jours de France »?

   Est-ce qu'ils ______________ « Jours de France »?

8. Je n'*écris* pas de lettre.

   Je ______________ de lettre.

9. Elle n'*ouvre* pas la bouche.

   Elle ______________ la bouche.

10. Est-ce que M. Duval *écrit* son numéro de téléphone?

    Est-ce que M. Duval ______________ son numéro de téléphone?

EXERCICE 51

QUESTIONS

Nous sommes à Paris.	*Pierre est à Paris.*
Est-ce que *nous sommes à Paris?*	**Est-ce que** *Pierre est à Paris?*
OU : **Sommes-nous** *à Paris?*	*OU :* *Pierre* **est-il** *à Paris?*

A. *Écrivez les questions :*

Le professeur entre.
a. *Est-ce que le professeur entre?*
b. *Le professeur entre-t-il?*

1. L'élève fume.
a. Est-ce que l'élève fume?
b. L'élève fume-t-il?

2. Je suis l'élève.
a. Est-ce que nous etes l'élève
b. Etes-nous l'élève

3. Il est quatre heures.
a. Quelle heure est-il
b. Est il q[illegible]

4. La table est grise.
a. Est ce que la table est grise?
b. Est-elle grise?

5. Le journal est sur la table.
a. Est-ce que le journal est sur la
b. Est-il sur la table -

6. Il vient du théâtre.
a. Est-ce-que vient du Theatre?
b. Vient-il du theatre

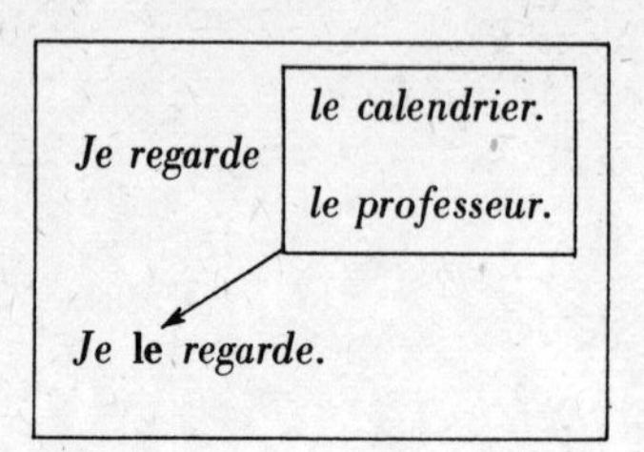

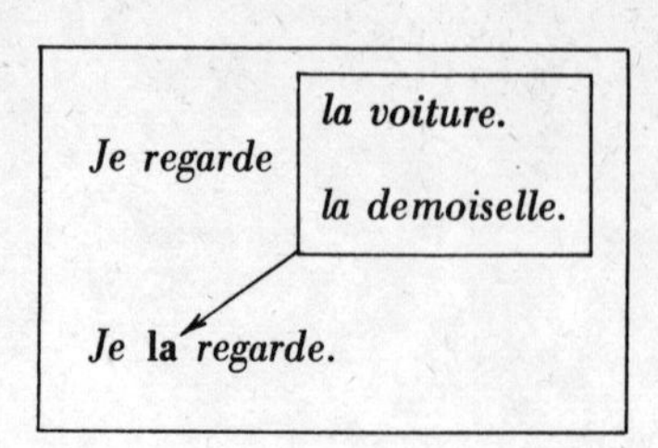

Je regarde *les calendriers.* / *les demoiselles.*

Je **les** *regarde.*

B. *Écrivez* **le, la, l'** *ou* **les :**

Elle prend *la clé.*

Elle la prend.

1. Nous ouvrons *la porte.*
   Nous la ouvrons
2. Je mets *la clé* dans la poche.
   Je la mets dans la poche
3. Elle ne regarde pas *l'appartement.*
   Elle ne le regarde pas
4. Je prends *les bouteilles.*
   Je les prends
5. Elle ferme *les fenêtres.*
   Elle les ferme
6. Elle dit *mon nom.*
   Elle le dit
7. Elle fume *mes cigarettes.*
   Elle les fume
8. Elle lit *mes journaux.*
   Elle les lit.
9. Elle a *les mains* sur la table.
   Elle les a sur la table
10. Elle prend *mon stylo.*
    Elle le prend

	je	il elle	nous	vous	ils elles
le	*mon*	*son*	*notre*	*votre*	*leur*
la	*ma*	*sa*	*notre*	*votre*	*leur*
les	*mes*	*ses*	*nos*	*vos*	*leurs*

Le nom de ce monsieur est Duval.
Son *nom est Duval.*
Sa *maison est à Paris.*

Le prénom de cette jeune fille est Marie.
Son *prénom est Marie.*
Sa *voiture est rouge.*

EXERCICE 52

Exemple: Est-ce que c'est *ma clé?*
Oui, c'est ___votre___ clé.

1. Est-ce que c'est *ma* voiture?

   Oui, c'est ___votre___ voiture.

2. Est-ce que *vos* vêtements sont dans la chambre?

   Oui, ___mes___ vêtements sont dans la chambre.

3. Où sont *vos* exercices?

   ___Mes___ exercices sont sur la table.

4. Avez-vous *votre* livre?

   Bien sûr, j'ai ___mon___ livre.

5. Est-ce le veston *de M. Duval*?

   Oui, c'est ___son___ veston.

6. Est-ce que c'est la cravate *du directeur*?

   Oui, c'est ___sa___ cravate.

7. Est-ce que c'est le chapeau *de Mme Lebrun*?

   Oui, c'est ___son___ chapeau.

8. Est-ce que ce sont les journaux *du professeur*?

   Oui, ce sont ___ses___ journaux.

9. Est-ce la voiture *de M. et Mme. Duval*?

   Oui, c'est ___leur___ voiture.

10. À qui écrivons-*nous* des lettres?

    Nous écrivons des lettres à ___notre___ famille et à ___nos___ amis.

EXERCICE 53

Les lettres de l'alphabet — Les mois et les jours

A. *Répondez :*

1. Par quelle lettre l'alphabet commence-t-il?

   Il commence à A.

2. Par quelle lettre est-ce qu'il finit?

   Il finit de Z.

3. Quelle est la première lettre du mot *juin?*

   C'est la lettre J.

4. Quelles sont les trois premières lettres du mot *août?*

   Ce sont A O U

5. Est-ce que les numéros de téléphone commencent par trois chiffres à Paris?

   Oui, ils commencent par trois chiffres

6. Est-ce que l'année commence par le mois de février?

   Non elle ne commence pas par le fe

7. Par quel mois commence-t-elle?

   Elle commence par janvi

8. Combien y a-t-il de mois dans une année?

   Il y a douze mois.

9. Quels sont-ils? Ce sont : janvier, février, mars, avril mai, juin, juillet, août, septembre, oc. novembre décembre

10. Et les jours de la semaine sont : lundi, mardi mercredi jeudi, vendredi, samedi, dimanche.

JANVIER

L	M	M	J	V	S	D
				1	2	3
4	5	6	7	8	9	10
11	12	13	14	15	16	17
18	19	20	21	22	23	24
25	26	27	28	29	30	31

FÉVRIER

L	M	M	J	V	S	D
1	2	3	4	5	6	7
8	9	10	11	12	13	14
15	16	17	18	19	20	21
22	23	24	25	26	27	28

MARS

L	M	M	J	V	S	D
1	2	3	4	5	6	7
8	9	10	11	12	13	14
15	16	17	18	19	20	21
22	23	24	25	26	27	28
29	30	31				

AVRIL

L	M	M	J	V	S	D
			1	2	3	4
5	6	7	8	9	10	11
12	13	14	15	16	17	18
19	20	21	22	23	24	25
26	27	28	29	30		

MAI

L	M	M	J	V	S	D
					1	2
3	4	5	6	7	8	9
10	11	12	13	14	15	16
17	18	19	20	21	22	23
24	25	26	27	28	29	30
31						

JUIN

L	M	M	J	V	S	D
	1	2	3	4	5	6
7	8	9	10	11	12	13
14	15	16	17	18	19	20
21	22	23	24	25	26	27
28	29	30				

JUILLET

L	M	M	J	V	S	D
			1	2	3	4
5	6	7	8	9	10	11
12	13	14	15	16	17	18
19	20	21	22	23	24	25
26	27	28	29	30	31	

AOÛT

L	M	M	J	V	S	D
						1
2	3	4	5	6	7	8
9	10	11	12	13	14	15
16	17	18	19	20	21	22
23	24	25	26	27	28	29
30	31					

SEPTEMBRE

L	M	M	J	V	S	D
		1	2	3	4	5
6	7	8	9	10	11	12
13	14	15	16	17	18	19
20	21	22	23	24	25	26
27	28	29	30			

OCTOBRE

L	M	M	J	V	S	
				1	2	3
4	5	6	7	8	9	10
11	12	13	14	15	16	17
18	19	20	21	22	23	24
25	26	27	28	29	30	31

NOVEMBRE

L	M	M	J	V	S	D
1	2	3	4	5	6	7
8	9	10	11	12	13	14
15	16	17	18	19	20	21
22	23	24	25	26	27	28
29	30					

DÉCEMBRE

L	M	M	J	V	S	D
		1	2	3	4	5
6	7	8	9	10	11	12
13	14	15	16	17	18	19
20	21	22	23	24	25	26
27	28	29	30	31		

J'ai fait quelque chose.
Je **n'***ai* **rien** *fait.*

Nous avons parlé à quelqu'un.
Nous **n'***avons parlé à* **personne.**

B. *Mettez à la forme négative:*
Il y a eu quelqu'un au bureau.
Il n'y a eu personne au bureau.

1. J'ai mis quelque chose sur le plancher.
   Je n'ai mis rien sur le plancher
2. Il a écouté quelqu'un.
   il n'a ecuté personne.
3. Elle a regardé quelque chose à la télévision.
   Elle n'a regardé rien à la televisioi
4. Ils ont compris quelque chose.
   ils n'ont compris rien
5. J'ai écrit quelque chose.
   Je n'ai écrit rien.
6. Nous avons dit quelque chose au garçon.
   Nous n'avons dit rien au garçon
7. Nous avons parlé à quelqu'un.
   Nous n'avons parlé à personne.
8. Vous avez répondu quelque chose, n'est-ce pas?
   Non, je n'ai repondu rien
9. Il y a eu quelque chose dans la rue.
   il n'y a eu rien dans la rue
10. Il y a eu quelque chose d'intéressant dans cet exercice.
    il n'y a eu riene

EXERCICE 54

Où habitez-vous?

Écrivez: **à, au, aux, en, dans**

Exemple: la famille Duval / deuxième étage

La famille Duval habite au deuxième étage.

1. je / un hôtel

J'habite dans un hotel

2, la concierge / rez-de-chaussée

La concierge habite au rez-de-chaussée

3. mon frère / Bruxelles

Mon frère habite à Bruxelles

4. vous / États-Unis

Vous habitez aux États-Unis

5. le directeur de notre compagnie / Suisse

Le directeur de notre compagnie habite en Suis

6. la sœur de ma secrétaire / Montréal

La soeur de ma secretaire habite à Montre

7. M. Latour et sa femme / un petit appartement

M. Latour et sa femme habitent dans un ---

8. les Leblanc / quatrième étage

Les Leblanc habitent au quatri—

9. nous / France

Nous habitons en France

10. mes parents / une petite ville

Mes parents habitent dans une petite vi

Apprenez les verbes :

Infinitif	je	vous	il elle	nous	ils elles	j'ai vous avez
regarder	regarde	regardez	regarde	regardons	regardent	regardé
écouter	écoute	écoutez	écoute	écoutons	écoutent	écouté
répéter	répète	répétez	répète	répétons	répètent	répété
prendre	prends	prenez	prend	prenons	prennent	pris
mettre	mets	mettez	met	mettons	mettent	mis
ouvrir	ouvre	ouvrez	ouvre	ouvrons	ouvrent	ouvert
fermer	ferme	fermez	ferme	fermons	ferment	fermé
parler	parle	parlez	parle	parlons	parlent	parlé
dire	dis	dites	dit	disons	disent	dit
écrire	écris	écrivez	écrit	écrivons	écrivent	écrit
lire	lis	lisez	lit	lisons	lisent	lu
demander	demande	demandez	demande	demandons	demandent	demandé
répondre	réponds	répondez	répond	répondons	répondent	répondu
comprendre	comprends	comprenez	comprend	comprenons	comprennent	compris
apprendre	apprends	apprenez	apprend	apprenons	apprennent	appris
faire	fais	faites	fait	faisons	font	fait

CHAPITRE 8 – RÉSUMÉ

Le ou la:

–le bureau de tabac
le facteur
le fromage

–la bibliothèque
la différence
l'épicerie *(f)*
la poste

Ce sont . . .
–*des* timbres

Qui est-ce?
–C'est une personne.
–Ce sont *des gens.*

Combien d'argent avez-vous?
J'ai . . .
–assez / beaucoup / peu } d'argent

–autant / moins / plus } d'argent (*que* vous)

Le même ou différent:
C'est . . .
–le même numéro
la même adresse

–un numéro différent
une adresse différente

À qui parle le directeur?
–Il { me / vous / lui / nous / leur } parle.

Le verbe « savoir » :
Je sais . . .
–votre nom
votre numéro de téléphone
votre adresse

–*que* Versailles est en France
que vous avez une voiture
que vous êtes français

–*où* est Versailles
combien il gagne
à quelle heure il vient
pourquoi il va à la gare

–*tout ce qu'*il a fait

Qu'est-ce qu'il (a) fait?
–Il { apporte / donne / envoie / gagne / paye / téléphone / reçoit }
Il *a* { apporté / donné / envoyé / gagné / payé / téléphoné / reç*u* }

Où va la secrétaire?
–Elle va à la poste.
Elle *va chercher* des timbres.

Que faisons-nous ensemble?
–Nous { travaillons / parlons / allons à l'école } ensemble.

ÉCOUTEZ LA BANDE NUMÉRO 8!

QUEL ÉPICIER!

Marie – Bonjour, monsieur.

L'épicier – Bonjour, Mlle Duval.

Marie – Une bouteille de lait, s'il vous plaît.

L'épicier – Voilà, mademoiselle. Quelque chose d'autre?

Marie – Oui, un petit fromage blanc.

L'épicier – Bon! C'est tout, mademoiselle?

Marie – Oh, non! . . . Un kilo de sucre, s'il vous plaît.

L'épicier – Merci, mademoiselle. Au revoir, mademoiselle.

Marie – Au revoir, monsieur.

(À la maison, Marie ouvre le paquet que l'épicier lui a donné.)

Marie – Mais . . . qu'est-ce que c'est que ça? Du café? Du vin? . . . Ce n'est pas mon paquet! Ah! Quel épicier!

EXERCICE 55

1. Est-ce que Marie a parlé avec vous?

Non, elle n'a pas parlé avec moi

2. Avec qui a-t-elle parlé?

Elle a parlé avec l'épicier

3. A-t-elle demandé du café ou du lait?

Elle a demandé du lait

4. L'épicier a-t-il mis le lait dans un paquet?

Oui, il a mis le lait dans un paquet

5. A-t-il donné quelque chose d'autre à Marie?

Oui il a donné quelque chose d'autre

6. Qu'est-ce qu'il lui a donné d'autre?

Il lui a donné du sucre et du fromage.

7. Marie a-t-elle dit au revoir à l'épicier?

Oui elle a dit au revoir

8. A-t-elle ouvert le paquet à la maison?

Oui elle l'a ouvert à la maison

9. Est-ce que c'était le bon paquet?

Non, ce n'était pas le bon paquet.

10. Est-ce qu'elle a pris le paquet de quelqu'un d'autre?

Oui, elle a pris le paquet de quelqu'un d'autre

EXERCICE 56

A. *Écrivez* il, elle *ou* lui :

La secrétaire est assise derrière le directeur.

Elle est assise derrière *lui*.

1. Marie est derrière son père.

Elle est derrière lui

2. Le chien est devant la dame.

Il est devant lui

3. La table est entre Marie et Pierre.

La table est entre elle et lui

4. M. Duval entre après Mme Duval.

il entre après lui

5. Elle sort avant M. Colin.

Elle sort avant lui

6. Je travaille pour M. Dupont.

Je travaille pour lui

7. Albert commence à écrire.

il commence à écrire.

8. Ce stylo est à mon frère.

Il est à lui

9. Il y a quelqu'un devant Claudine.

Il y a quelqu'un devant lui

10. Le magnétophone est entre M. Grenier et moi.

Il est entre lui et moi.

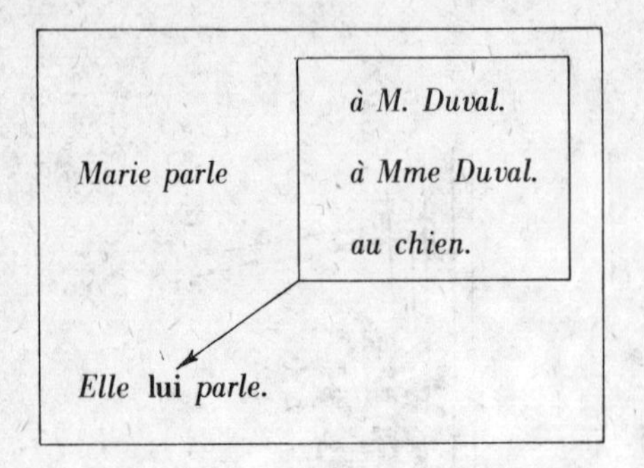

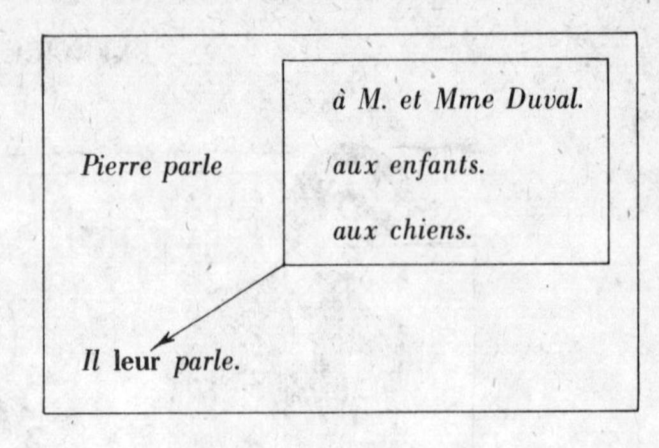

B. *Écrivez* **lui** *ou* **leur** :

Je parle *à M. Duval.*

Je ___*lui*___ parle.

1. Mlle Duval dit « bonjour » *à son père.*

   Elle ___lui___ dit « bonjour ».

2. Le professeur pose des questions *aux élèves.*

   Il ___leur___ pose des questions.

3. Les secrétaires parlent *au directeur.*

   Elles ___lui___ parlent.

4. Il répond *à ses secrétaires* en anglais.

   Il ___leur___ répond en anglais.

5. Mais il a parlé *à sa femme* en français.

   Il ___lui___ a parlé en français.

C. *Répondez avec* **me, vous** *ou* **nous :**

Est-ce que Mme Dupont *vous* parle français?

Oui, elle *me parle français.*

1. Est-ce que la demoiselle *m'*apporte un café?

   Oui, elle nous apport un cafe

2. Est-ce qu'elle *vous* apporte un café aussi?

   Oui, elle m'apporte un café aussi.

3. Combien de cafés *nous* apporte-t-elle?

   Elle nous apporte deux cafés

4. Est-ce que vous *me* donnez votre nom?

   Oui, je nous donne mon nom

5. Est-ce que je *vous* donne mon nom?

   Oui, vous me donnez notre nom

6. Est-ce que je *vous* donne mon passeport?

   Non, vous ne me donnez pas notre passeport.

7. Est-ce que vous *m'*écrivez une lettre?

   Non, je ne nous ecrit un lettre

8. Est-ce que Pierre *m'*écrit une carte postale?

   Non, il ne nous ecrit pas un carte postale,

D. *Écrivez* **que, qui** *ou* **à qui :**

Qui est cette dame? C'est *Mme Duval.*

1. Que fait le professeur? Il *pose des questions.*
2. A qui pose-t-il les questions? Il les pose *à l'élève.*
3. Que regardez-vous? Je regarde *ma montre.*
4. Qui regardez-vous? Je regarde *Pierre et Marie.*
5. A qui est-ce que nous parlons? Nous parlons *au directeur.*
6. Qui a apporté les lettres? *Le facteur* les a apportées.
7. À qui a-t-il donné les lettres? *À moi.*
8. Que fait-il le matin? Il *m'apporte le courrier.*

Pierre	:	*10 francs*	*Pierre a* **plus d'***argent* **que** *Marie.*
Marie	:	*5 francs*	*Marie a* **moins d'** *argent* **que** *Pierre.*
Moi	:	*5 francs*	*Et moi, j'ai* **autant d'***argent* **que** *Marie.*

E. *Écrivez* **plus de . . . que, moins de . . . que** *ou* **autant de . . . que :**

Mme Dupont a quatre enfants. Mme Colin a deux enfants.

Mme Dupont a ___*plus d'*___ enfants ___*que*___ Mme Colin.

1. Vous avez cinq clés. Moi, j'ai une clé.

   Vous avez ___plus de___ clés ___que___ moi.

2. Pierre a sept francs. Marie a dix francs.

   Pierre a ___moins d'___ argent ___que___ Marie.

3. Elle a pris quarante leçons. Il a pris quatre-vingts leçons.

   Elle a pris ______________ leçons _____ lui.

4. Nous avons écouté six bandes au magnétophone.

   Vous aussi, vous avez écouté six bandes.

   Vous avez écouté ______________ bandes _____ nous.

5. Ils ont vu deux films à la télévision.

   Elles aussi ont vu deux films à la télévision.

   Ils ont vu ______________ films _____ elles.

6. Marie a trois livres. Yvonne a cinq livres.

   Marie a ______________ livres _____ Yvonne.

EN AMÉRIQUE ET EN FRANCE

M. Brown travaille à New York chez Ford et M. Dupont travaille à Paris chez Renault. M. Brown est ingénieur; M. Dupont est aussi ingénieur. M. Brown gagne beaucoup d'argent et M. Dupont aussi. Mais le franc n'est pas le dollar! Et . . . la France n'est pas l'Amérique!

M. Brown gagne beaucoup . . . mais il donne tout ce qu'il gagne à sa femme! M. Dupont, lui, gagne moins, mais il ne donne pas tout ce qu'il gagne à sa femme! Eh oui, la France n'est pas l'Amérique!

Répondez oralement:

1. Est-ce que M. Dupont travaille pour une société française?
2. Pour quelle société travaille-t-il?
3. Est-ce que MM. Brown et Dupont sont ingénieurs?
4. Est-ce que M. Brown gagne peu ou beaucoup d'argent?
5. Est-ce que M. Dupont gagne des dollars?
6. Alors, un ingénieur américain gagne plus qu'un ingénieur français?
7. Est-ce que M. Brown gagne beaucoup d'argent?
8. Mais à qui donne-t-il son argent?
9. Est-ce qu'il lui donne tout ce qu'il gagne?
10. Est-ce que M. Dupont gagne moins que M. Brown?
11. Donne-t-il tout ce qu'il gagne à sa femme?
12. Alors, la France n'est pas l'Amérique?

CHAPITRE 9 — RÉSUMÉ

Le ou la:
—l'exercice *(m)*
le texte

—l'enveloppe *(f)*

—les chaussures *(f)*

Quand est-il arrivé?
Il est arrivé . . .

—le matin	—*ce* matin
le soir	*ce* soir
—à midi	—à 10^h *du* matin
à minuit	à 8^h *du* soir

—hier
hier matin
hier soir

Présent et passé:

—Il/Elle	achète appelle attend	—Il/Elle *a*	acheté appelé attendu
—Il/Elle	arrive entre reste monte va vient descend sort	—Il/Elle *est*	arrivé*(e)* entré*(e)* resté*(e)* monté*(e)* allé*(e)* venu*(e)* descendu*(e)* sorti*(e)*

Qu'est-ce que vous appelez?
J'appelle . . .
—un taxi
le chien

Qui appelez-vous?
J'appelle . . .
—la secrétaire
le garçon

À qui avez-vous parlé?
—Je *vous* / *lui* / *leur* ai parlé.

Où . . . ? (Chez qui . . . ?)

—chez moi	—chez nous
vous	eux
lui/elle	elles

—chez nous en France
—chez les Américains

Est-ce qu'il va à Paris?
—Oui, il *y* va.
—Non, il *n*'y va *pas*.

Que fait-on à Paris?
—*D'abord* on va à l'Étoile.
Ensuite on monte à l'Arc de Triomphe.
Enfin on va aux Galeries Lafayette.

Ouvert ou fermé:
—Le magasin est fermé/ouvert.
—La banque est ouverte/fermée.

Depuis combien de temps attendez-vous?
J'attends depuis . . .

—dix minutes	—trois semaines
deux heures	six mois
quatre jours	cinq ans

Combien de temps êtes-vous resté là?
J'y suis resté *pendant* . . .

—cinq minutes	—quatre semaines
deux heures	deux mois
trois jours	deux ans

ÉCOUTEZ LA BANDE NUMÉRO 9!

LE FACTEUR N'A PAS LE TEMPS DE M'ÉCOUTER

Le facteur vient à neuf heures et demie. Il sort le courrier de son sac : des lettres, des cartes postales, des paquets, des journaux. Il y a quelque chose pour M. Lebrun : une grande carte postale en couleurs. Il y a aussi quelque chose pour Mme Lebrun : une enveloppe avec beaucoup de timbres du Canada. C'est une lettre de sa fille qui est à Québec. Il y a aussi quelque chose pour les Duval : un journal de la société où travaille M. Duval. Et . . . pour moi? Je regarde le facteur :

– Monsieur, s'il vous plaît, est-ce qu'il y a quelque chose pour moi?

– Attendez . . . Non, rien pour vous.

– J'attends une lettre de Belgique.

– Non, non, il n'y a rien pour vous.

– C'est une lettre de ma famille qui est à Bruges, et je . . .

Mais le facteur n'a pas le temps de m'écouter . . .

Parlez du facteur, s'il vous plaît!

EXERCICE 57

Répondez, s'il vous plaît:

1. À quelle heure le facteur vient-il?

___

2. Qu'est-ce qu'il a dans son sac?

___

3. Y a-t-il quelque chose pour M. Lebrun?

___

4. Qu'est-ce qu'il y a pour Mme Lebrun?

___

5. De qui est cette lettre?

___

6. Où est sa fille?

___

7. Qu'est-ce qu'il y a pour les Duval?

___

8. Est-ce qu'il y a quelque chose pour moi?

___

9. Qu'est-ce que j'attends?

___

10. Est-ce que le facteur a le temps de m'écouter?

___

EXERCICE 58

A. *Apprenez les verbes :*

Infinitif	je	vous	il elle	nous	ils elles	je suis vous êtes
entrer	entre	entrez	entre	entrons	entrent	entré
sortir	sors	sortez	sort	sortons	sortent	sorti
venir	viens	venez	vient	venons	viennent	venu
aller	vais	allez	va	allons	vont	allé
arriver	arrive	arrivez	arrive	arrivons	arrivent	arrivé
partir	pars	partez	part	partons	partent	parti
monter	monte	montez	monte	montons	montent	monté
descendre	descends	descendez	descend	descendons	descendent	descendu
rester	reste	restez	reste	restons	restent	resté

Pierre est entré.	*Les deux frères sont entrés.*
Marie est entrée.	*Les deux sœurs sont entrées.*

B. *Complétez les phrases :*

Aujourd'hui Paul vient à trois heures.

Hier *Paul est venu à trois heures.*

1. Pierre va au bureau de Marie.

   Hier ______________________________

2. Marie entre avant lui.

   Hier ______________________________

3. Pierre et Marie restent au bureau.

   Hier ____

4. Les deux directeurs arrivent ensemble.

   Hier ____

5. M. Dupont ne reste pas dans sa voiture.

   Hier ____

6. Mme Dubois descend de l'autobus.

   Hier ____

7. Elle prend l'ascenseur et elle monte au troisième.

   Hier ____

8. Elle entre chez elle.

   Hier ____

9. Mes deux sœurs sortent de l'appartement.

   Hier ____

10. Elles descendent dans la rue.

    Hier ____

11. Elles partent de la maison à huit heures.

    Hier ____

12. M. et Mme Dubois vont dans la rue.

    Hier ____

13. Ils viennent à l'école.

    Hier ____

14. Le professeur vient à l'école avant M. et Mme Dubois.

    Hier ____

15. Pierre arrive après le professeur.

    Hier ____

Le facteur vient **dans mon bureau.** *Il* **y** *entre à dix heures.*

C. *Écrivez* **y** :

Le téléphone est *à côté de la lampe.*

Il y est.

1. La carte est *sur le mur.*

2. Nous sommes *devant l'ascenseur.*

3. Le calendrier est *derrière vous.*

4. Vous attendez le professeur *dans le corridor.*

5. En général, elle achète ses chapeaux *au Printemps.*

6. Elle a acheté cette petite robe *chez Givenchy.*

7. Elle est arrivée *dans ce pays* en 1970.

8. Je suis allé *à la salle Pleyel* pour écouter de la musique de Chopin.

9. Nous avons attendu quelqu'un *Aux Deux Magots.*

10. Il n'est pas resté plus de dix minutes *au Drugstore de l'Opéra.*

CHAPITRE 10 — RÉSUMÉ

Le ou la:
— le couteau
le parfum
le rasoir

— la fleur
la rose
la violette
la vitrine

— les ciseaux *(m)*
les lunettes *(f)*

Verbes:
— boire *(bu)*
couper *(coupé)*
entendre *(entendu)*
manger *(mangé)*
porter *(porté)*
sentir *(senti)*
voir *(vu)*

Avec quoi?

	coupe		un couteau
— On	écrit	*avec*	un stylo
	entend		les oreilles

Avez-vous faim (soif)?
— Oui, j'ai faim (soif).
— Non, je n'ai pas faim (soif).

Qu'est-ce qu'on mange (boit)?
On *mange* . . .
— du beurre
du fromage
(du Camembert)
du gâteau
du pain

— de l'oignon
de la soupe
de la viande

— une omelette

— des brioches
des croissants
des fruits

— des oeufs
des petits pains

On *boit* . . .
— du jus d'orange
du café sans sucre

— de l'eau
de la bière

Mangez-vous { *du pain* / *de la soupe?* / *des fruits* }

— Oui, j'*en* mange.
— Non, je n'*en* mange pas.

Où allez-vous?
Je vais . . .
— à la boucherie
à la boulangerie

— *chez* le coiffeur

Comment ces fleurs sentent-elles?
Elles sentent . . .
— bon / très bon
mauvais / très mauvais

Elles ont . . .
— une bonne (mauvaise) odeur

Comment est le/la . . . ?
Il/Elle est . . .
— bon(*ne*)
mauvais(*e*)

— beau (*belle*)

Que ferez-vous la semaine prochaine?
La semaine prochaine je . . .
— parlerai
prendrai
sortirai, *etc.*

Complément direct avec infinitif:
Au présent:

— Il { *me* / *vous* / *le/la* / *nous* / *les* } voit
— Il { *m'* / *vous* / *l'* / *nous* / *les* } *a* vu

} aller . . . / arriver . . . / entrer . . . / écrire . . . / fermer . . . / ouvrir . . .

ÉCOUTEZ LA BANDE NUMÉRO 10!

APPORTEZ-MOI DU CAFÉ, S'IL VOUS PLAÎT!

M. et Mme Rondeau
Le garçon

M. Rondeau – Garçon, s'il vous plaît!
Garçon – Monsieur?
M. Rondeau – Un café crème et deux croissants, s'il vous plaît!
Garçon – Bien, monsieur. Un café crème . . . et deux croissants. Et pour vous, madame?
Mme Rondeau – Deux oeufs sur le plat, s'il vous plaît.
Garçon – Pardon, madame, excusez-moi, je n'ai pas entendu. Qu'est-ce que vous avez demandé?
Mme Rondeau – J'ai demandé deux oeufs sur le plat, s'il vous plaît.
Garçon – Bien, madame.
Mme Rondeau – Et apportez-moi aussi un jus d'orange.
Garçon – Un jus d'orange. Oui, madame.
Mme Rondeau – Un grand verre.
Garçon – C'est ça, madame. Vous ne prenez pas de café, madame?
Mme Rondeau – Non, merci.
Garçon – Rien d'autre, madame? Monsieur?
M. Rondeau – Non, merci. C'est tout.

EXERCICE 59

Le café est bon. *La bière est bonne.*	*Je bois* **du café.** *Je bois* **de la bière.**	*J'***en** *bois.*
Les croissants sont bons. *Les frites sont bonnes.*	*Vous mangez* **des croissants.** *Vous mangez* **des frites.**	*Vous* **en** *mangez.*

Il ne boit **pas de** *café.* *Elle ne boit* **pas de** *bière.* *Je ne mange* **pas de** *croissants.* *Nous ne mangeons* **pas de** *frites.*

A. *Écrivez* **en** :

Il mange *du gâteau.*

Il en mange.

1. Nous buvons *du jus d'orange.*

___

2. Nous mangeons *des brioches.*

___

3. Vous achetez *de la viande.*

___

4. Ils fument *des cigarettes américaines.*

___

5. MM. Dupont et Duval lisent *des articles sur la politique* dans le journal.

___

Je bois beaucoup *de café.*

J'en bois beaucoup.

6. Nous buvons peu *de vin.*

7. Vous mangez peu *de pain.*

8. MM. Dupont et Duval lisent beaucoup *de journaux.*

9. Marie prend deux tasses *de thé.*

10. Elle achète deux kilos *de viande.*

11. Ils fument trois paquets *de cigarettes.*

J'ai quatre *livres.*

J'en ai quatre.

12. Vous avez écouté vingt *disques d'Edith Piaf.*

13. Nous avons envoyé beaucoup *de lettres.*

14. Marie a acheté *des fleurs* Place de la Madeleine.

15. Elle met *des roses rouges* sur la table.

16. Elle va chercher *des légumes* à l'épicerie.

	je	vous	il elle	nous	ils elles	j'ai vous avez
voir	vois	voyez	voit	voyons	voient	vu
entendre	entends	entendez	entend	entendons	entendent	entendu
sentir	sens	sentez	sent	sentons	sentent	senti

B. *Mettez à la forme négative :*

Je vous vois entrer.

Je ne vous vois pas entrer.

1. Je vous entends parler.

____

2. Catherine le voit sortir.

____

3. Je les entends chanter.

____

4. Le directeur nous voit travailler.

____

5. Elles me regardent manger.

____

6. Vous m'entendez répondre au téléphone.

____

7. Ils vous écoutent chanter.

____

8. Vous nous voyez venir.

____

9. Nous vous écoutons prononcer les mots.

____

10. Je la regarde travailler.

____

C. *Mettez au passé :*

Je vous vois sortir.

Je vous ai vu sortir.

1. Vous m'entendez parler.

____

2. Eric le voit sortir.

____

3. Elles m'entendent chanter.

____

4. Nous le voyons travailler.

____

5. Je le regarde manger.

____

6. Je vous entends répondre au téléphone.

____

7. Vous l'écoutez chanter.

____

8. On vous voit venir.

____

9. Vous l'écoutez prononcer les mots.

____

10. Annie me regarde travailler.

____

UN JOUR DE FÊTE

M. Smith travaille à Paris depuis un mois. Il est arrivé de New York le 1er avril. M. Smith habite à La Porte de Versailles et son bureau est près de L'Opéra.

M. Smith va au garage. Mais . . . sa voiture n'est pas dans le garage!

– Oh! Ma femme a pris la voiture!

Quand Mme Smith prend la voiture, M. Smith prend le métro! Comme aujourd'hui! Alors, il va à la station. Il est huit heures et demie et le métro n'arrive pas! Neuf heures moins le quart, et pas de métro! Neuf heures moins dix! Que fait M. Smith? Il prend un taxi. Il arrive au bureau à neuf heures et demie, mais . . . pas de secrétaires, pas d'employés! Personne! M. Smith regarde le calendrier :

– Aujourd'hui, 1er mai, fête du travail!

Eh oui, M. Smith! En France, personne ne travaille le 1er mai. C'est un jour de fête! Oh là là! Quelle journée! . . .

M. Smith sort du bureau et va dans la rue. Il entre dans un café :

– Un verre d'eau et deux aspirines, s'il vous plaît!

EXERCICE 60

A. *Répondez :*

1. Est-ce que la voiture de M. Smith est dans le garage?

2. Qui a pris la voiture de M. Smith?

3. Est-elle allée à la station de métro?

4. Combien de temps est-ce que M. Smith attend le métro?

5. À quelle heure arrive-t-il au bureau?

6. Est-ce qu'il y a quelqu'un au bureau?

7. Est-ce que le 1er mai est un jour de fête en France?

8. Alors, ést-ce qu'on travaille le 1er mai?

9. M. Smith sort-il pour aller au cinéma ou au café?

10. Est-ce qu'il demande une bouteille de champagne au garçon?

11. Qu'est-ce qu'il lui demande?

B. *Mettez au passé :*

Il arrive au bureau à neuf heures et demie.

Il est arrivé au bureau à neuf heures et demie.

1. M. Smith va au garage.

2. Sa femme prend la voiture.

3. Le métro n'arrive pas.

4. Il attend vingt minutes.

5. Il regarde son calendrier.

6. Personne ne travaille au bureau.

7. Il va dans la rue.

8. Il entre dans un café.

9. Il prend un apéritif.

10. Il n'y met pas d'aspirine.

C. *Complétez les réponses :*

Est-ce que je vous ai parlé?

Oui, vous *m'avez parlé.*

1. M'avez-vous parlé?

   Oui, je ______________________________

2. Est-ce que nous lui avons parlé en italien?

   Non, nous ______________________________

3. Est-ce que je lui ai téléphoné?

   Oui, vous ______________________________

4. Est-ce que je leur ai dit au revoir?

   Oui, vous ______________________________

5. Est-ce que vous leur avez envoyé un paquet?

   Non, je ______________________________

6. Est-ce qu'ils vous ont écrit une carte postale?

   Oui, ils ______________________________

7. Est-ce qu'il vous a acheté une montre?

   Non, il ______________________________

8. Est-ce que je vous ai lu cet article?

   Oui, vous ______________________________

9. Est-ce que nous lui avons donné de l'argent?

   Oui, nous ______________________________

10. Est-ce que vous m'avez compris?

    Oui, je ______________________________

CHAPITRE 11 — RÉSUMÉ

Le ou la:
—le déjeuner
le dîner
le petit déjeuner
le plat
le pourboire
le repas

—l'addition *(f)*
l'assiette *(f)*
la cuillère
la fourchette
la serviette

Que mangez-vous?
Je mange . . .
—un sandwich
. . . au fromage
. . . au jambon

—une tranche
. . . de pain
. . . de rosbif

Qu'est-ce que vous aimez?
J'aime . . .
—le potage
le poisson
le steak
le bifteck
le rosbif
le porc
le riz

—la bouillabaisse
la salade

—les saucissons
les spaghettis
les pâtes

Quels légumes aimez-vous?
J'aime . . .
—la laitue

—les pommes de terre
les tomates
les petits pois

—les carottes
les haricots

Qu'aimez-vous comme dessert?
J'aime . . .
—les bananes
les fraises
les oranges

—les poires
les pommes

Quelle boisson aimez-vous?
—J'aime (bien) le thé, mais j'aime *mieux* le café.
—Je *préfère* le café au thé.

Que mettez-vous dans la salade?
Je mets . . .
—du sel
du poivre
du vinaigre

—de l'huile

Qu'aimez-vous faire?
J'aime . . .
—acheter des vêtements
aller au cinéma
regarder la télévision

Que faisons-nous?
Nous . . .
—chantons
dansons
commandons
mettons la table

Nous *laissons* . . .
—le livre dans la classe
le pourboire sur la table

—la fenêtre ouverte
la porte fermée

Que ferez-vous demain?
Demain . . .
—j'aurai . . .
j'irai . . .
je serai . . .
je verrai . . .
je viendrai . . .

Comment est-il?
Il *est* . . .
—bon
meilleur (*que* . . .)

Comment chante-t-il?
Il *chante* . . .
—bien
mieux (*que* . . .)

Qui a un livre?
—*Chaque* élève a un livre.

Expressions:
—« À votre santé! »
« À la vôtre! »
« Bon appétit! »
« Je voudrais . . . »
« Voudriez-vous . . . ? »

ÉCOUTEZ LA BANDE NUMÉRO 11!

UN REPAS FRANÇAIS

(Au restaurant, MM. Duval et Braun appellent le garçon.)

M. Braun – Monsieur, s'il vous plaît, un sandwich!

M. Duval – Et . . . c'est tout ce que vous mangez? Vous n'avez pas faim?

M. Braun – Non, pas très, mais j'ai soif! Un Coca, s'il vous plaît!

M. Duval – Oh! M. Braun, un Coca, un Coca! . . . Vous aimez ça, vous? Tsss! C'est du vin qu'on boit à table! Et il est si bon en France!

M. Braun – O.K., un verre de vin, alors.

M. Duval – Oh! M. Braun, un verre seulement! . . . C'est une bouteille qu'on prend ici!

M. Braun – Pourquoi une bouteille?

M. Duval – Parce que . . . parce que . . . parce que le repas est long!

M. Braun – Long? Le déjeuner aussi?

M. Duval – Oui. Chez nous, il y a trois plats. On commence par les hors-d'œuvre, ensuite vient un plat de viande ou de poisson avec des légumes, et on termine par un fromage ou un dessert.

M. Braun – Ah bon, d'accord! Alors . . . euh . . . le menu du jour, s'il vous plaît. Et un café au lait avec le dessert.

M. Duval – Un café au lait? M. Braun, je vous en prie . . . après le repas, on prend du café noir!

M. Braun – O.K., O.K., noir alors! . . . Je ne suis pas un touriste, moi!

EXERCICE 61

A. *Répondez :*

1. M. Braun a-t-il très faim?

____

2. Est-ce qu'il a soif?

____

3. Qu'est-ce qu'il demande à boire?

____

4. Et M. Duval, que préfère-t-il, le vin ou le Coca-Cola?

____

5. Est-ce que le vin est bon en France?

____

6. Par quoi commence-t-on le repas?

____

7. Qu'est-ce qui vient ensuite?

____

8. Par quoi termine-t-on?

____

9. En France, prend-on du café au lait avec le dessert?

____

10. Le déjeuner français est-il différent du déjeuner américain?

____

B. *Parlons un peu du pain! Répondez :*

1. En France, que boit-on au petit déjeuner, du jus d'orange ou du café au lait?

   ____

2. Et on mange du pain beurré, n'est-ce pas?

   ____

3. Au petit déjeuner, mange-t-on plus ou moins qu'en Amérique?

   ____

4. Va-t-on acheter le pain à la boucherie?

   ____

5. Qu'est-ce qu'on va y acheter?

   ____

6. Et où va-t-on chercher le pain?

   ____

7. Le pain français a-t-il une bonne odeur?

   Oui, ____

8. Est-il bon?

   Oui, ____

9. Mangez-vous du pain avec la soupe?

   Non, ____

10. Mangez-vous du pain avec le fromage?

    Oui, ____

Que savez-vous du pain français?

Restaurant de l'Etoile

Menu

HORS D'ŒUVRES

Assiette de Charcuterie	8 F
Jambon de Parme	11
Jambon de Bayonne	9
Saucisson salami	5

SOUPE

Soupe de poisson	8
Soupe à la tomate	6
Soupe de légumes	6

VIANDE

Bifteck	16
Côte de porc	12
Rosbif	20

SALADES

Laitue	3,50
Salade de tomates	4
Salade de Carottes	4
Salade Russe	7

LÉGUMES

Petits Pois
Haricots verts
Haricots blancs
Carottes
Tomates
Pommes de terre frites

FROMAGE

Gruyère	3.50
Camembert	4
Brie-cantal	4
Fromage de Hollande	5
Bleu de Bresse	5

DESSERT

Yaourt	2,50
Fruits	2
Pommes	
Poires	
Oranges	
Bananes	
Fraises	
Glaces	4

Carte des Vins

Beaujolais
Chablis
Rosé

Que désirez-vous, madame?

Restaurant de l'Etoile

1 soupe	6F
1 steak	16F
pommes frites	
	22F
+ serv. 15%	3.30
	25F30

JE VOUDRAIS UNE BOUTEILLE DE BORDEAUX

Pierre – La carte, s'il vous plaît.
Le garçon – Oui, monsieur.
Marie – Regardez le menu, Pierre. Mmmm! . . . Moi, je voudrais . . . une . . . soupe . . . à la tomate! J'aime beaucoup ça!
Pierre – Tiens, moi aussi! Alors, deux soupes à la tomate!
Le garçon – Bien, monsieur.
Pierre – Oui, pour commencer, deux soupes à la tomate . . . Ensuite, deux steaks au poivre, et une salade verte, s'il vous plaît.
Le garçon – Une salade de laitue, monsieur?
Pierre – Oui, oui, une salade de laitue.
Le garçon – Bien, monsieur. Et comme boisson?
Pierre – Ah, oui! Je voudrais une bouteille de Bordeaux!
Le garçon – Bien, monsieur.

(Le garçon apporte le vin.)

Marie – À votre santé, Pierre!
Pierre – À la vôtre, Marie!

(À la fin du repas)

Pierre – Deux cafés et . . . apportez-nous aussi l'addition, s'il vous plaît.
Le garçon – Tout de suite, monsieur.

(Après quelques minutes)

Le garçon – Ça fait quarante francs, monsieur.
Pierre – Voilà!
Le garçon – Merci bien, monsieur!
Pierre – Et maintenant, Marie, que faisons-nous? . . . Voyons . . . Vous aimez danser?
Marie – Oh, oui! J'adore danser!
Pierre – Il y a une nouvelle discothèque pas loin d'ici, le *Zoum-Zoum*.
Marie – Mais vous savez, Pierre, ce petit vin m'a fait tourner la tête et je ne sais pas si je . . .
Pierre – Mais si, mais si! . . . C'est ainsi qu'on danse le mieux. Allons-y!

EXERCICE 62

Répondez :

1. Est-ce que le vin de Bordeaux est un vin français?

2. Le garçon apporte-t-il l'addition avant ou après le repas?

3. Est-ce que Pierre paie plus de trente francs?

4. Combien paie-t-il?

5. Est-ce que le *Zoum-Zoum* est un cinéma?

6. Est-ce que c'est loin du restaurant?

7. Marie dit que le vin lui fait tourner la tête, n'est-ce pas?

8. Et le whisky? Fait-il aussi tourner la tête?

9. Qui aime danser?

10. Pour terminer la soirée, les deux jeunes gens vont-ils au *Zoum-Zoum?*

L'AGENT 009

AMT 1417 – 2030 Urgent

001 à agent 009

L'agent 002 arrivera de Londres vendredi soir à sept heures. Vous irez l'attendre à l'aéroport. Il portera un costume bleu avec une cravate grise. Il aura un paquet à la main gauche. Quand il sortira de l'aéroport, il se dirigera[1] vers les taxis. Vous direz: « Mettez votre paquet dans votre poche. » Il répondra: « Je préfère vous le donner, » et il vous le donnera.

Dans le paquet il y aura un petit papier avec une adresse. Vous conduirez[2] 002 à cette adresse avec votre voiture. Au moment où il descendra de la voiture vous lui donnerez votre revolver et une enveloppe avec les cent mille francs que vous avez reçus la semaine dernière. 002 entrera dans l'immeuble et vous l'attendrez dans la voiture.

Quand il reviendra, vous le conduirez à l'hôtel Excelsior. 002 entrera dans l'hôtel et reviendra après dix minutes. Vous le conduirez à l'aéroport. Il devra[3] prendre l'avion de N.Y. qui part à neuf heures vingt-cinq. Apprenez ces instructions et brûlez-les[4]. Vous recevrez un autre message dans une semaine.

[1] se diriger = aller, marcher
[2] conduire = aller en voiture
[3] aujourd'hui il *doit*—demain il *devra*
[4] brûler—une allumette brûle

EXERCICE 63

J'aime mieux *parler français;* **demain,** *je* **parlerai** *français avec vous.*
(Je préfère)

Apprenez les verbes :

J'aime mieux . . . (Je préfère)	et demain . . .					
	je	vous	il elle	nous	vous	ils elles
parler	parlerai	parlerez	parlera	parlerons	parlerez	parleront
prendre	prendrai	prendrez	prendra	prendrons	prendrez	prendront
sortir	sortirai	sortirez	sortira	sortirons	sortirez	sortiront
venir	viendrai	viendrez	viendra	viendrons	viendrez	viendront
aller	irai	irez	ira	irons	irez	iront
voir	verrai	verrez	verra	verrons	verrez	verront
avoir	aurai	aurez	aura	aurons	aurez	auront
être	serai	serez	sera	serons	serez	seront

A. *Mettez au futur :*

Nous *voyons* la Tour Eiffel.

Nous ___*verrons*___ la Tour Eiffel.

1. Je *parle* français à l'école.

   Je ____________________ français à l'école.

2. Vous *prenez* quelque chose à boire.

   Vous ____________________ quelque chose à boire.

3. Il *sort* avec Mlle Dubois.

   Il ____________________ avec Mlle Dubois.

4. Nous *venons* sans nos parents.

   Nous ____________________ sans nos parents.

5. Nous *allons* à Monte-Carlo.

   Nous ____________________ à Monte-Carlo.

6. Elle *va* à Deauville pour une semaine.

   Elle ____________________ à Deauville pour une semaine.

7. Il n'*a* pas de cravate.

   Il ____________________ de cravate.

8. Ça se *voit!*

   Ça se ____________________ !

9. De cette fenêtre, on *voit* bien le Sacré-Cœur.

   De cette fenêtre, on ____________________ bien le Sacré-Cœur.

10. Ils *sont* chez moi pour dîner.

    Ils ____________________ chez moi pour dîner.

B. *Écrivez* y :

Demain, je ne serai pas *chez moi.*

Demain, je n'y serai pas.

1. Cette année, j'habite *en Suisse.*

2. L'année dernière, j'ai habité *en Belgique.*

3. L'année prochaine, j'habiterai *au Canada.*

4. Demain, vous monterez *au deuxième étage de la Tour Eiffel.*

5. Juliette sera *à Notre-Dame* avant nous.

6. Nous descendrons *sur la Côte d'Azur* en septembre.

7. On attendra mes amis *chez moi.*

8. Ils liront un article sur le Président *dans Le Monde.*

9. Nous verrons un film *au Cinéma des Champs-Élysées.*

10. Les enfants de Mme Berger ne seront pas *à l'école* jeudi.

CHAPITRE 12 – RÉSUMÉ

Verbes auxiliaires:
– pouvoir
je peux, vous pouvez, il peut,
nous pouvons, ils peuvent

– vouloir
je veux, vous voulez, il veut,
nous voulons, ils veulent

– devoir
je dois, vous devez, il doit,
nous devons, ils doivent

– avoir besoin de . . .
j'ai (vous avez, *etc.*) . . . besoin de

– être obligé de
je suis (vous êtes, *etc.*) . . . obligé de

De quoi avez-vous besoin?
J'ai besoin . . .
– d'argent . . .
de 10 francs
d'un mouchoir
– d'un manteau
d'un passeport
d'une montre

Pourquoi allez-vous au restaurant?
Je vais au restaurant . . .
– *pour* manger
parce que je *veux* manger

Qu'est-ce que vous êtes obligé de faire?
Je suis obligé . . .
– d'aller au bureau à 8h
d'arriver à l'heure
de travailler

« Assez » et « trop » :
– Cette voiture est { *assez* grande *(pour moi)* / *trop* petite *(pour toute la famille)* / *trop* grande *(pour cette rue)* }

– Pierre { mange / boit / parle } { assez / trop }

Voulez-vous voir le (la, les) . . . ?
– Oui, je veux { *le* / *la* / *les* } voir.

Voulez-vous prendre du thé?
– Oui, je veux *en* prendre.

Voulez-vous aller à Paris?
– Oui, je veux *y* aller.

Qu'allez-vous faire (après la leçon)?
Je vais . . .
– aller dans un magasin
acheter quelque chose
payer à la caisse

Que venez-vous de faire?
Je viens . . .
– d'acheter un journal
d'arriver en avion
de prendre un verre
de déchirer le papier

Si vous voulez!
– Si je *veux* { lire / sortir / aller à . . . } je *dois* { mettre mes lunettes / ouvrir la porte / prendre un taxi }

ÉCOUTEZ LA BANDE NUMÉRO 12!

POUR POUVOIR ÊTRE PRÈS DE MARIE . . .

Pierre – Bonjour, Marie.

Marie – Bonjour, Pierre.

Pierre – Dites-moi, Marie . . .

Marie – Oui?

Pierre – Pouvez-vous me donner l'adresse de votre directeur?

Marie – Certainement! . . . Tenez, la voilà! Mais pourquoi voulez-vous l'adresse de mon directeur?

Pierre – Parce que je dois aller le voir et lui parler. Je veux travailler avec lui.

Marie – Vous voulez travailler avec mon directeur? Pourquoi?

Pierre – Pour pouvoir être près de vous, Marie!

Marie – Oh! Pierre . . .

Parlez de Pierre et de Marie, s'il vous plaît!

DIX MILLE PHRASES SUR UNE PAGE

A	+	B	+	C
je peux	+	être	+	*où?* (au cinéma, au bar, etc.)
je ne peux pas		avoir		*quand?* (à cinq heures, etc.)
vous pouvez		prendre		*qui?* (M. Duval, etc.)
il (elle) peut		mettre		*quoi?* (un stylo, etc.)
nous pouvons		frapper		
ils (elles) peuvent		ouvrir		
		fermer		
je veux		aller		
je ne veux pas		venir		
vous voulez		entrer		
il (elle) veut		sortir		
nous voulons		compter		
ils (elles) veulent		coûter		
		lire		
je voudrais		écrire		
vous voudriez		taper		
		parler		
je préfère		répondre		
vous préférez		répéter		
		commencer		
je suis obligé de		finir		
vous êtes obligé de		donner		
		dire		
je dois		manger		
vous devez		boire		
il (elle) doit		voir		
nous devons		entendre		
ils (elles) doivent		écouter		
		travailler		
je viens de		voyager		
vous venez de		acheter		
		payer		
je vais		rester		
vous allez				

Formez des phrases, s'il vous plaît!

EXERCICE 64

A. *Écrivez* y : Je veux aller *dans la rue.*

Je veux y aller.

1. Je veux aller *à la maison.*

2. Annette peut rester *à Toulouse.*

3. Nous voulons dîner *chez Maxim's.*

4. Jean veut prendre un verre *au bar de l'hôtel.*

5. Vous devez mettre le menu *sur la table.*

6. Nous pouvons attendre un taxi *devant l'hôtel.*

7. Je suis obligé de rester *dans ma chambre.*

8. François doit venir *au bureau* à huit heures.

9. Nous sommes obligés d'envoyer une lettre *à Madrid.*

10. M. et Mme Lanou veulent écouter Maria Callas *à la Scala de Milan.*

B. *Écrivez* en :

Je dois acheter *des fruits.*

Je dois en acheter.

1. Je dois prendre *des aspirines.*

2. Nous voulons écouter *de la musique de Beethoven.*

3. Simone peut manger *des fruits.*

4. Vous devez mettre *du sucre* dans le café.

5. Ils peuvent acheter *des cigarettes.*

6. J'ai besoin de faire beaucoup *d'exercices.*

7. Nous devons commander trois *cassettes.*

8. Mlle Lefèvre veut apporter douze *cassettes.*

9. Je ne peux pas donner *d'argent.*

10. Vous n'avez pas besoin de parler *de ça!*

C. *Écrivez* **le, la** *ou* **les** :

Vous pouvez mettre *la lettre* sur mon bureau.

Vous pouvez la mettre sur mon bureau.

1. Je veux mettre *mes cigarettes* dans ma poche.

2. Paul veut mettre *le livre* sur la table.

3. Brigitte peut prendre *l'avion* à six heures.

4. M. Biraud ne peut pas prendre *son train* à la Gare de l'Est.

5. J'ai besoin de voir *son passeport.*

6. Nous devons écouter *les bandes.*

7. Vous ne pouvez pas regarder *la télévision* ici.

8. Ils veulent lire *les lettres de leurs parents.*

9. Odile n'a pas besoin d'acheter *ce journal.*

10. Elles doivent envoyer *ces fleurs* à leurs amis.

EXERCICE 65

A. *Mettez au futur immédiat :*

J'*achèterai* des chaussures.

Je vais acheter des chaussures.

1. Je *sortirai* avec une amie.

2. Vous *ouvrirez* la porte.

3. Jules *descendra* dans la rue.

4. Il *ira* dans un magasin.

5. Nous *demanderons* quelque chose à boire.

6. M. et Mme Martin *payeront* à la caisse.

7. Ils *prendront* leurs paquets.

8. Je *viendrai* avec vous.

9. Vous *entrerez* la première.

10. Elle *verra* ses parents.

B. *Mettez au passé immédiat :*

J'*ai acheté* des chaussures.

Je viens d'acheter des chaussures.

1. Je *suis sorti* avec une amie.

2. Vous *avez ouvert* la porte.

3. Alain *est descendu* dans la rue.

4. Danielle *est montée* au quatrième.

5. Nous *avons demandé* quelque chose à boire.

6. M. et Mme Martin *ont payé* à la caisse.

7. Ils *ont pris* leurs paquets.

8. Je *suis arrivé* avec Françoise.

9. Vous *êtes entré* dans le plus beau cinéma de la ville.

10. Jeanne *a vu* ses parents.

CHAPITRE 13 – RÉSUMÉ

Le ou la:
– l'arrêt d'autobus *(m)*
le bureau de change
le change
le chauffeur
le cours du dollar
l'employé *(m)*
le jardin
le jardin public
le jeton
le permis de conduire
le stylo à bille

– la cabine téléphonique
l'erreur *(f)*
la standardiste

– les ami(e)s *(m, f)*
les chaussures *(f)*

Verbes:
– choisir *(la route)*
conduire *(vite)*
faire une promenade *(se promener)*
jouer *(aux cartes)*
marcher *(dans la rue)*
taper *(à la machine)*
terminer *(la leçon)*

À l'école:
– l'école primaire
l'école secondaire
l'université

« Nouveau » et « nouvelle » :
– Ce manteau est nouveau.
– Cette voiture est nouvelle.

Quel âge avez-vous?
J'ai . . .
– dix ans
vingt ans
quatre-vingts ans, *etc.*

Qu'est-ce qu'il (a) fait?

Il . . .	Il *a* . . .
– est à Paris	– *été* à Paris
a une leçon	*eu* une leçon
voiture	voiture

Pourquoi n'est-il pas venu?
Il n'est pas venu . . .
– parce qu'il n'*a* pas { *pu* / *voulu* venir / *dû* }

Que fera-t-il demain?
Il . . .
– viendra . . .
verra . . .
aura . . .

Que fait-on pour donner un coup de téléphone?
On . . .
– décroche
appelle les renseignements
fait le numéro
raccroche
refait le numéro

Que dit-on au téléphone?
On dit . . .
– « La ligne est occupée! »
« Ne quittez pas! »
« Ça y est! La ligne est libre! »
« Allô? »
« Qui est à l'appareil? »
« Ici M. Dupont. »
« Est-ce que je pourrais parler à M. Duval, s'il vous plaît? »
« Excusez-moi, c'est une erreur! »
« Je vous téléphone au sujet de . . . »
« Voulez-vous répéter, s'il vous plaît? »
« On nous a coupés! »

ÉCOUTEZ LA BANDE NUMÉRO 13!

UN APRÈS-MIDI ENSEMBLE

(Pierre va chercher Marie au bureau.)

Pierre – Bonjour, Marie. Comment va le travail?

Marie – Bien, bien, mais Pierre, je vous en prie : je ne veux pas parler de travail cet après-midi. Où allons-nous?

Pierre – Je ne sais pas; où vous voulez, Marie.

Marie – C'est à dire que . . . moi non plus, je ne sais pas!

Pierre – Bon, alors disons . . . au restaurant?

Marie – Non, il est trop tôt pour ça. Je n'ai pas faim.

Pierre – Allons dans un café!

Marie – Oh! Boire et manger, manger et boire!

Pierre – Bon. Où allons-nous alors? Au concert?

Marie – Il n'y a pas de concerts l'après-midi, et je dois rentrer avant huit heures.

Pierre – Hum . . . Ah, ça y est! Au cinéma!

Marie – D'accord. Qu'est-ce qu'on joue?

Pierre – Je ne sais pas; regardons dans le journal. Ah! Ici . . . un film policier au *Gaumont.*

Marie – Quel film?

Pierre – « *L'inspecteur vous attend.* » Vous n'aimez pas les films policiers?

Marie – Si, je les aime beaucoup. Allons-y, Pierre!

Pierre – Si vous voulez, Marie. Mais alors, nous devons y aller maintenant : à cette heure-ci, il n'y a pas beaucoup de monde.

Marie – Oui, parce qu'après on doit attendre, et je ne veux pas arriver chez moi après huit heures.

Pierre – Mais pourquoi? Vous avez quelque chose à faire chez vous?

(Devant le cinéma)

Pierre – Deux places, s'il vous plaît madame . . . Merci . . . Vous ne voulez pas dîner avec moi ce soir, Marie?

Marie – Pierre, comprenez-moi . . . Je *dois* rentrer. Mes parents m'attendent.

Pierre – Et moi? Moi aussi je vous attends, Marie! Il y a longtemps que je vous attends!

Marie – Chut! Le film vient de commencer!

EXERCICE 66

Répondez :

1. Qui va chercher Marie à la sortie du bureau?

____

2. Est-ce que Marie veut parler de son travail?

____

3. Pourquoi ne vont-ils pas au restaurant?

____

4. Est-ce que Marie veut aller dans un café?

____

5. À quelle heure doit-elle rentrer chez elle?

____

6. Peut-elle aller voir un film ce soir-là?

____

7. Qui l'attend à la maison?

____

8. On doit attendre avant d'acheter les billets, n'est-ce pas?

____

9. En général, est-ce qu'il y a des concerts l'après-midi?

____

10. Pierre et Marie vont-ils voir un film allemand?

____

EXERCICE 67

Apprenez les verbes :

Aujourd'hui	Hier	Demain
il peut	il a pu	il pourra
il veut	il a voulu	il voudra
il doit	il a dû	il devra
il a besoin	il a eu besoin	il aura besoin
il est obligé	il a été obligé	il sera obligé

A. *Mettez à la forme négative :*

Michel a pu aller chez son ami.

Michel n'a pas pu aller chez son ami.

1. Il a dû arriver à l'heure.

____

2. J'ai eu besoin de mon passeport.

____

3. Nous avons dû le donner à la secrétaire.

____

4. Elles ont pu répondre au téléphone.

____

5. Nous avons eu besoin d'argent.

____

6. Vous avez eu besoin d'un billet d'avion.

____

7. Vous avez dû parler français.

____

8. Le petit garçon a dû avoir faim.

____

9. Jacques a pu monter en cinq minutes.

____

10. Madeleine a pu descendre en cinq minutes.

____

B. *Mettez au passé :*

Il doit rester chez lui.

Il a dû rester chez lui.

1. Valérie doit dîner avec Benjamin.

____

2. Ils doivent être ensemble.

____

3. Le garçon doit apporter l'addition.

____

4. Je dois lui laisser quelque chose.

____

5. Vous avez besoin de cinquante centimes.

____

6. Nicole peut venir chez moi.

____

7. Nous pouvons aller chez lui.

____

8. Vous pouvez y aller sans moi.

____

9. Je peux sortir après six heures.

10. M. et Mme Duval veulent déjeuner avec nous.

C. *Répondez :*

1. En France, peut-on fumer dans les cinémas?

   Non,

2. Est-ce que vous pouvez couper un bifteck sans couteau?

3. Est-ce que nous pouvons écrire une lettre sans avoir de papier?

4. Au bureau, est-ce que la secrétaire reçoit beaucoup de lettres?

5. Est-ce que les élèves peuvent faire cet exercice sans lire les questions?

6. Quand vous sortez de chez vous, laissez-vous la porte ouverte derrière vous?

7. Est-ce que je peux parler sans ouvrir la bouche?

8. Préférez-vous monter au septième étage par l'escalier ou par l'ascenseur?

9. Est-ce que vous chantez dans la classe?

10. Votre professeur chante-t-il à l'Opéra?

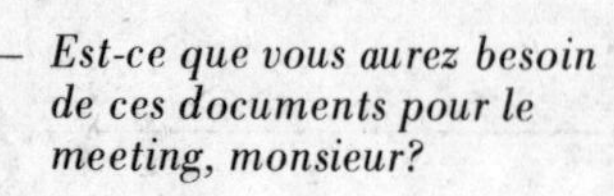

– *Est-ce que vous aurez besoin de ces documents pour le meeting, monsieur?*

D. *Mettez au futur:*

1. J'ai besoin de ces documents.

____

2. Mes amis ne peuvent pas venir me voir.

____

3. Combien devons-nous payer?

____

4. À quelle heure peut-on entrer?

____

5. Je ne peux pas téléphoner avant six heures.

____

6. Vous devez prendre l'avion pour y aller.

____

7. Nous sommes obligés de travailler jusqu'à dix heures.

____

8. Quand est-ce que je dois arriver?

____

9. Vous pouvez venir quand vous voulez.

____

10. Avons-nous besoin de nos passeports?

____

EXERCICE 68

AU CONTRAIRE!

Écrivez le contraire de :

entrer *sortir*

1. ouvrir ____________
2. finir ____________
3. descendre ____________
4. raccrocher ____________
5. long ____________
6. grand ____________
7. bon ____________
8. premier ____________
9. cher ____________
10. occupé ____________
11. sur ____________
12. devant ____________
13. près de ____________
14. plus ____________
15. beaucoup ____________
16. peu de temps ____________
17. question ____________
18. à droite ____________
19. quelque chose ____________
20. quelqu'un ____________

RENSEIGNEMENTS, S'IL VOUS PLAÎT!

(Pierre veut téléphoner à M. Dubois, mais il n'a pas son numéro.)

La téléphoniste – Renseignements! J'écoute.

Pierre – Je voudrais le numéro de M. Dubois, s'il vous plaît.

La téléphoniste – Vous avez son adresse?

Pierre – Oui, il habite 8, boulevard Pasteur, à Paris.

La téléphoniste – Bon, attendez un instant, je vous prie. Vous avez bien dit *Dubois,* n'est-ce pas?

Pierre – Oui, oui, c'est ça.

(Peu après)

M. Dubois – Allo? Qui est à l'appareil?

Pierre – C'est Pierre.

M. Dubois – Ah! Bonsoir, Pierre. Oh! Attendez, quelqu'un frappe à la porte. Ne quittez pas, je reviens!

Pierre – D'accord, j'attends.

M. Dubois – Ah! Voilà! Ça y est, je suis à vous!

Pierre – M. Dubois, je vous téléphone de la part de mon père. Il ne viendra pas lundi prochain : il doit aller chercher quelqu'un à l'aéroport lundi soir.

M. Dubois – Ah, bon! Merci de me téléphoner pour me le dire.

Pierre – Au revoir, M. Dubois, et encore une fois, excusez-moi.

M. Dubois – Je vous en prie. Au revoir, Pierre.

EXERCICE 69

Répondez :

1. À qui Pierre demande-t-il le numéro de téléphone de M. Dubois?

___

2. Quelle est l'adresse de M. Dubois?

___

3. Est-ce que la téléphoniste demande à Pierre d'attendre?

___

4. Est-ce qu'elle lui demande d'attendre *une heure*?

___

5. Pourquoi M. Dubois demande-t-il aussi à Pierre d'attendre?

___

6. De la part de qui Pierre téléphone-t-il à M. Dubois?

___

7. Le père de Pierre viendra-t-il lundi prochain?

___

8. Où doit-il aller lundi soir?

___

9. Est-ce que Pierre et M. Dubois raccrochent quand ils ont fini de parler?

___

10. Est-ce qu'ils ont parlé longtemps au téléphone?

___

Le ou la:

– le pull
le réveil
le trottoir

– la bague
la pièce *(de 10 francs)*
la place
la terrasse

En quoi est-il?
Il est . . .
– en bois
en plastique
en verre

– en métal:
en acier
en argent
en fer

– en tissu:
en coton
en laine
en nylon

À qui . . . ?
C'est . . .

– le *(la)* { mien *(mienne)* / vôtre / sien *(sienne)* / nôtre / leur

Ce sont . . .

– les { miens *(miennes)* / vôtres / siens *(siennes)* / nôtres / leurs

Verbes:

Réfléchis:
– s'arrêter
s'asseoir
se coucher
se lever
se mettre à table
se réveiller

Non-réfléchis:
– attendre *(son tour)*
dormir
lever *(la main)*
rentrer
sonner
durer
marcher

Comment est-ce?
C'est . . .
– exact *(Exactement!)*
parfait *(Parfaitement!)*

– L'un est *plus* { cher / grand / long } *que* l'autre.

Quand est-ce que vous vous levez?
Je me lève . . .

– tard
tôt
à l'heure

– vers 7.30
tout de suite
quand le réveil sonne

Quand est-ce que vous vous couchez?
Je me couche . . .
– tard
tôt

– quand j'ai sommeil

Quand venez-vous?

J'arrive . . .
– en avance
en retard
à l'heure

Je viens . . .
– le matin
l'après-midi
tout de suite

Êtes-vous déjà arrivé?
– Oui, je suis déjà arrivé.
– Non, je *ne* suis *pas encore* arrivé.

Combien de temps dure le voyage?
Il dure . . .

– dix minutes
deux heures
trois jours

– *(très)* longtemps
environ deux heures

Quand parlez-vous français?
Je le parle . . .
– quelquefois
toujours

– Je *ne* le parle *jamais.*

Comment parlez-vous?
Je parle . . .
– un peu
bien
parfaitement

Personne n'est ici?
– Au contraire, il y a *beaucoup de monde.*

ÉCOUTEZ LA BANDE NUMÉRO 14!

UNE JOURNÉE QUI COMMENCE MAL

M. Duval – Ah, ah! Bonjour, M. Colin!

M. Colin – Euh . . . Bonjour, Monsieur le directeur . . .

M. Duval – Comment allez-vous ce matin?

M. Colin – Je . . . euh . . . je . . .

M. Duval – Alors? . . . Vous allez bien?

M. Colin – Mais oui, bien sûr . . . Pourquoi me demandez-vous ça?

M. Duval – Pourquoi? Il est dix heures et vous savez parfaitement qu'ici on commence à travailler à huit heures et demie.

M. Colin – Oui, monsieur. Mais voilà, j'ai pris un taxi pour venir . . .

M. Duval – Un taxi? Mais vous prenez votre voiture le matin!

M. Colin – En général, oui, je la prends . . . Mais ce matin, je ne sais pas pourquoi, mon fils l'a prise . . .

M. Duval – Oui, oui, oui . . . Mais vous êtes arrivé ici à dix heures, mon ami!

M. Colin – Mais monsieur: d'abord, je suis allé à l'arrêt d'autobus . . . J'ai attendu un quart d'heure et . . .

M. Duval – Un quart d'heure? À l'arrêt d'autobus? Allons, allons, M. Colin!

M. Colin – C'est vrai, monsieur . . . Alors, je suis allé appeler un taxi et . . .

M. Duval – Bon, bon. Il est tard. Au travail!

EXERCICE 70

Répondez :

1. Quelle heure est-il quand M. Colin arrive au travail?

2. Et à quelle heure commence-t-on à travailler dans son bureau?

3. Est-il allé au bureau à pied?

4. Comment y est-il allé?

5. En général, il prend sa voiture le matin, n'est-ce pas?

6. Qui a pris la voiture de M. Colin ce matin-là?

7. D'abord, M. Colin a voulu prendre l'autobus, n'est-ce pas?

8. Combien de temps a-t-il attendu à l'arrêt?

9. Qu'est-ce qu'il a fait ensuite?

10. M. Duval lui demande de se mettre vite au travail, n'est-ce pas?

EXERCICE 71

Apprenez les verbes :

Aujourd'hui	Hier	Demain
je me lève	je me suis levé	je me lèverai
vous vous levez	vous vous êtes levé	vous vous lèverez
il se lève	il s'est levé	il se lèvera
elle se lève	elle s'est levée	elle se lèvera
nous nous levons	nous nous sommes levés	nous nous lèverons
vous vous levez	vous vous êtes levés	vous vous lèverez
ils se lèvent	ils se sont levés	ils se lèveront
elles se lèvent	elles se sont levées	elles se lèveront

Mettez aux différentes personnes :

Marie se réveille quand elle entend sonner son réveil.

Vous *vous réveillez quand vous entendez sonner votre réveil.*

1. Je ____________________
2. Joseph ____________________
3. Nous ____________________
4. M. et Mme Pignot ____________________
5. Marie et sa sœur ____________________

J'ai entendu sonner le réveil et je me suis levé.

Il *a entendu sonner le réveil et il s'est levé.*

6. Lucie ____________________
7. M. et Mme Montfort ____________________
8. Vous ____________________
9. Gaston et son frère ____________________
10. Nous ____________________

EXERCICE 72

Répondez avec **déja** *ou* **pas encore**:

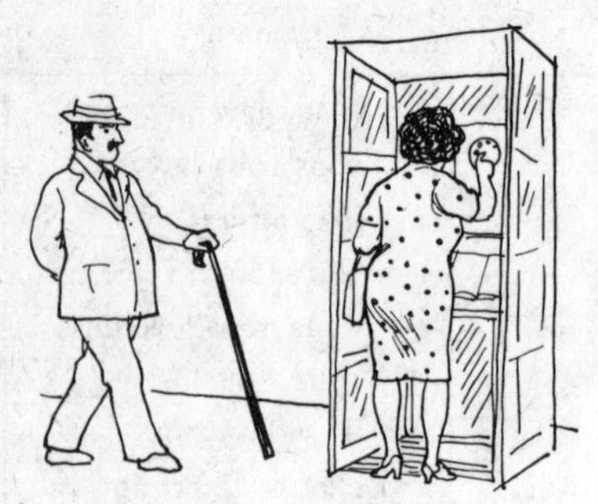

Il ne parle pas encore.
Elle va parler.

1. Est-il déjà arrivé?

   ____

2. A-t-il déjà commencé à parler?

   ____

3. Est-elle déjà entrée dans la cabine?

   ____

4. A-t-elle déjà fini de parler?

   ____

5. A-t-il déjà attendu dix minutes?

   ____

6. A-t-il déjà attendu vingt minutes?

   ____

7. A-t-elle déjà fait le numéro?

   ____

8. A-t-elle déjà raccroché?

   ____

Il a déjà attendu dix minutes.
Elle n'a pas encore fini de parler.

Elle a fini de parler.
Il n'a pas encore commencé à parler.

9. Est-elle déjà sortie de la cabine?

   ____

10. Est-il déjà entré?

    ____

11. A-t-il déjà attendu longtemps?

    ____

12. A-t-il déjà décroché?

    ____

EXERCICE 73

A. *Répondez :*

Quelle heure est-il?

1. ______________________________

2. ______________________________

3. ______________________________

4. ______________________________

5. ______________________________

6. ______________________________

7. ______________________________

8. ______________________________

9. ______________________________

10. ______________________________

B. *Écrivez* **à quelle heure, combien de temps** *ou* **comment** *:*

Comment vient-il au bureau?

Il vient au bureau en taxi.

1. ______________ avez-vous habité à Bruxelles?

J'ai habité six mois à Bruxelles.

2. ______________ est la rue Champollion, longue ou courte?

Elle est courte.

3. ______________ arrive-t-il au bureau?

Il arrive au bureau à huit heures.

4. ______________ sont-ils venus?

Ils sont venus à pied.

5. ______________ finit le film?

Il finit à onze heures.

6. Pendant ______________ a-t-il attendu le métro?

Il a attendu le métro pendant quinze minutes.

7. ______________ êtes-vous sortis?

Nous sommes sortis à six heures.

8. ______________ met-on pour aller en voiture de l'Opéra à Notre Dame?

Pour aller en voiture de l'Opéra à Notre Dame, on met vingt minutes.

9. ______________ Pierre a-t-il commencé à travailler?

Il a commencé à travailler à neuf heures.

10. De quelle heure ______________ a-t-il travaillé?

Il a travaillé de neuf heures à six heures.

M. DUVAL VA À LA BANQUE

C. *Regardez l'illustration et répondez :*

1. À quelle heure M. Duval sort-il de chez lui?

____

2. À quelle heure arrive-t-il à la banque?

____

3. La banque est-elle ouverte ou fermée?

____

4. À quelle heure la banque ouvre-t-elle?

____

5. À quelle heure est-ce qu'elle ferme?

____

6. Pendant combien de temps reste-t-elle ouverte?

____

7. De quelle heure à quelle heure M. Duval attend-il dans la rue?

____

8. À quelle heure est-ce qu'il sort de la banque?

____

9. Combien de temps est-il-resté à la banque?

____

10. Quelle heure est-il quand M. Duval prend l'autobus?

____

EXERCICE 74

CHER OU BON MARCHÉ?

Répondez :

Les montres en or sont-elles plus chères que les montres en argent?

Oui, elles sont plus chères que les montres en argent.

1. Les billets d'opéra sont-ils plus chers que les billets de cinéma?

____

2. Le vin de table n'est pas très cher en France, n'est-ce pas?

____

3. Et le fromage aussi est bon marché, non?

____

4. Mais le champagne est plus cher que le vin, n'est-ce pas?

____

5. Les voitures américaines sont-elles plus grandes que les voitures françaises?

____

6. Les Cadillac sont-elles meilleur marché que les Renault?

____

7. Paris est-il plus grand ou plus petit que Deauville?

____

8. Le boulevard Saint-Germain est plus long que le boulevard Pasteur, n'est-ce pas?

____

9. L'avenue des Champs-Élysées aussi est plus longue que le boulevard Pasteur, non?

____

10. Les Champs-Élysées sont-ils plus larges ou plus étroits que la rue Champollion?

____

EXERCICE 75

le	*mien*	*sien*	*nôtre*	*vôtre*	*leur*
la	*mienne*	*sienne*			
les (m.)	*miens*	*siens*	*nôtres*	*vôtres*	*leurs*
les (f.)	*miennes*	*siennes*			

Écrivez **le mien, la mienne,** *etc. :*

Ma chemise est en coton; *la chemise de mon ami* est en nylon.

Ma chemise est en coton; la sienne est en nylon.

1. Mes mouchoirs sont dans la valise avec *les mouchoirs de mon père*.

2. Mon pull est en laine. En quoi est *le pull de Guy*?

3. Votre enveloppe est sur le bureau, à côté des *enveloppes de la secrétaire.*

4. Notre appartement est petit. Comment est *l'appartement de M. et Mme Saval*?

5. Notre voiture est jaune citron. De quelle couleur est *la voiture de nos amis*?

6. J'ai demandé mon billet d'avion et mes amis Éric et Jeanine ont demandé *leurs billets d'avion.*

7. Leur salle de séjour est moins bien que *notre salle de séjour.*

8. Cette bague en or est plus chère que *sa bague*.

9. Vos bijoux sont dans la boîte; mais où sont *nos bijoux*?

10. Vos valises et *nos valises* sont dans la chambre.

11. Si vous n'avez pas de chapeau, vous pouvez prendre *mon chapeau.*

12. Leur appartement est aussi petit que *mon appartement.*

13. J'ai pris son numéro de téléphone et elle a pris *mon numéro de téléphone.*

14. Si vous n'avez pas d'autre adresse, je vous donnerai *mon adresse.*

15. Votre voiture va plus vite que *leur voiture.*

16. Marguerite n'a pas de montre. Elle a pris *ma montre.*

17. Votre femme est dans le living-room. Elle parle avec *ma femme.*

18. Je n'ai pas vu les parents de Christine; j'ai vu *mes parents.*

19. Mes cheveux sont aussi longs que *vos cheveux*.

20. Avant de boire cet apéritif, dites « à votre santé » et moi, je dirai « à *votre santé* »!

– *À votre santé, Marie!*
– *À la vôtre, Pierre!*

CHAPITRE 15 — RÉSUMÉ

Le ou la:
— le coiffeur
le coucher du soleil
le briquet

— la femme de chambre
la journée
la lumière
la nuit

— les informations *(f)*

Où est . . . ?
Il est . . .
— au nord *(de)*
au sud *(de)*
à l'est *(de)*
à l'ouest *(de)*

— au-dessous *(de)*
au-dessus *(de)*

Quel temps fait-il?
Il *fait* . . .
— clair
noir
sombre

— *Il y a* du soleil.

« Chaud » et « froid » :
— Il *fait* chaud/froid.
J'*ai* chaud/froid.
L'eau *est* chaude/froide.

Que voyez-vous?
Je vois . . .
— le soleil
la lune
les étoiles

Le soleil:
— se lève à l'est
brille pendant la journée
se couche à l'ouest

Verbes:
Non-réfléchis:
— allumer *(la cigarette)*
éteindre *(l'allumette)*
brûler *(le papier)*
essuyer *(la table)*
habiller *(l'enfant)*
nettoyer *(les lunettes)*

Réfléchis:
— s'habiller
se déshabiller
se fatiguer
se peigner
se coiffer
se reposer

— se raser *(la barbe / la moustache)*
se brosser les dents
se mouiller les mains
se laver les mains
s'essuyer les mains
se brûler *(avec une cigarette)*

Qu'y a-t-il dans la salle de bains?
Il y a . . .
— un lavabo
un peigne
un rasoir
du savon

— une brosse
une douche
une glace
une serviette
de la pâte dentifrice

Qu'est-ce qu'on fait faire?
On . . .
— fait { laver ses chemises / nettoyer son veston / repasser ses pantalons }

Comment est-il/elle?
Il/Elle est . . .
— fatigué*(e)*
moderne

— sale
propre

Expressions:
— « Bonsoir! »
« Bonne nuit! »
« Est-ce que le service est compris? »
« Avez-vous du feu? »

ÉCOUTEZ LA BANDE NUMÉRO 15!

QU'EST-CE QU'IL Y A CE SOIR À LA TÉLÉVISION?

Marie – Mais elle marche, votre télé?

Pierre – Oui! Je viens de l'acheter.

Marie – Mettez-la! Voyons s'il y a quelque chose.

(Pierre met la télévision.)

*Le speaker de l'O.R.T.F.** – Et ainsi se termine, mesdames, mesdemoiselles, messieurs, notre programme de ce soir. Bonne nuit!

Marie – Pas de chance! Tout est terminé.

Pierre – C'est dommage! Mais vous savez, il est presque minuit. Je suis fatigué et je dois me lever tôt.

Marie – C'est vrai. Bonne nuit, Pierre.

Pierre – Bonne nuit, Marie.

* Office de la Radiodiffusion Télévision Française

EXERCICE 76

Répondez :

1. Qui vient d'acheter ce poste de télévision?

2. Est-ce que ce poste marche bien?

3. Que dit le speaker à la télévision?

4. Qu'est-ce que c'est que l'O.R.T.F.?

5. En France, y a-t-il quelque chose à la télévision après minuit?

6. Pierre doit-il se lever tôt ou tard?

7. Marie a-t-elle sommeil?

8. Que lui dit Pierre avant d'aller se coucher?

9. Et vous, est-ce que vous dites « bonne nuit » aussi, avant d'aller vous coucher?

10. Mais en général, le soir, on dit « bonsoir », n'est-ce pas?

EXERCICE 77

A. *Répondez :*

1. À Paris le métro s'arrête à une heure du matin, n'est-ce pas?

____

2. Est-ce que vous vous arrêtez quelquefois devant les vitrines des magasins?

____

3. À Noël, beaucoup de gens s'arrêtent pour regarder les vitrines des magasins, n'est-ce pas?

____

4. Si vous regardez la télévision chez vous, l'éteignez-vous avant de vous coucher?

____

5. Quand on va à l'Opéra, on doit arriver à l'heure, n'est-ce pas?

____

B. *Mettez à la forme négative :*

1. La voiture s'arrête au carrefour.

____

2. Je m'arrête derrière elle.

____

3. M. Smith aime marcher dans Paris.

____

4. Il reste des heures et des heures assis devant le Sacré-Cœur.

____

5. C'est un touriste.

____

C. *Mettez au passé :*

La jeune fille se lève à huit heures.

La jeune fille s'est levée à huit heures.

1. Mes parents se réveillent avant moi.

____

2. Ma sœur se réveille dix minutes plus tard.

____

3. Ma famille se lève tôt.

____

4. On se lave avec de l'eau chaude.

____

5. Mon père et moi, nous nous rasons dans la salle de bains.

____

6. Mes sœurs s'habillent dans leur chambre.

____

7. Moi, je m'habille dans la mienne.

____

8. On travaille pendant la journée, on se repose pendant la nuit.

____

9. Mes sœurs ne se coiffent pas pendant le petit déjeuner.

____

10. Enfin, nous nous levons et nous sortons.

____

D. *Mettez aux différentes personnes :*

Il s'est brûlé avec une cigarette.

1. Je ______________________________

2. Vous ______________________________

3. Marie ______________________________

4. Nous ______________________________

5. Ils ______________________________

6. Pierre et Marie ______________________________

E. *Répondez :*

1. Pendant la leçon, le professeur demande-t-il à l'élève de parler?

____

2. Le professeur fait-il parler l'élève pendant la leçon?

____

3. Est-ce qu'il lui fait répéter les mots difficiles?

____

4. Est-ce qu'il lui fait poser des questions sur les mots nouveaux?

____

5. Est-ce que le directeur fait travailler sa secrétaire?

____

6. Est-ce qu'il lui fait écrire des lettres?

____

EXERCICE 78

A. *Répondez avec* **toujours** *:*

Parlez-vous français dans la classe?
Oui, je parle toujours français dans la classe.

1. Le professeur parle-t-il français pendant la leçon?

   ____

2. Pose-t-il les questions en français?

   ____

3. Est-ce que vous l'écoutez avant de lui répondre?

   ____

4. Dites-vous « bonjour » au professeur avant la leçon?

   ____

5. Est-ce que vous lui dites « au revoir » avant de partir?

   ____

B. *Répondez avec* **jamais** *:*

Parlez-vous quelquefois italien dans la classe?
Non, je ne parle jamais italien dans la classe.

1. Le professeur de français parle-t-il quelquefois chinois?

   ____

2. Le professeur dort-il quelquefois dans la classe?

   ____

3. Regardez-vous quelquefois la télévision dans la classe?

   ____

4. Écoutez-vous la radio dans la classe?

   ____

5. Buvez-vous du whisky au petit déjeuner?

   ____

EXERCICE 79

Écoutez la bande de la cassette No 6 et faites la première dictée:

CHAPITRE 16 – RÉSUMÉ

Le ou la:
–l'arbre *(m)* –la forêt
le cadeau la naissance
le maillot
le sable
le voyage

Quel jour est-ce?
C'est . . .
–Noël
la veille de Noël
le Jour de l'An
la veille du Jour de l'An
la Fête Nationale
la Fête du Travail
mon anniversaire
lundi, *etc.*

Les souhaits:
– « Joyeux Noël! »
« Bonne Année! »
« Heureux Anniversaire! »

Quelle est la date de votre anniversaire?
–je suis / vous êtes / il (elle) est } né*(e)* } le 10 avril.
nous sommes / ils (elles) sont } né*(e)*s } le 10 avril.

Où passez-vous vos vacances?
Je les passe . . .
–à la campagne –dans les Alpes
sur la Côte d'Azur dans les Pyrénées

En quelle saison sommes-nous?
Nous sommes . . .
–au printemps –en automne
en été en hiver

Quel temps fait-il?
Il *fait* . . .
–chaud –beau
froid mauvais

–J'ai froid/chaud.

Adjectifs:
–âgé*(e)*
délicieux *(délicieuse)*
excellent*(e)*
horrible
jeune
merveilleux *(merveilleuse)*
vieux *(vieille)*

Qu'est-ce qu'on peut louer?
On peut louer . . .
–une barque
une bicyclette

–des skis

Où allez-vous ce week-end?
Je vais . . .
–au stade –faire un voyage
à la plage faire du ski

–voir un match de . . .
volley-ball
football
boxe

Que fait-on à la plage?
On . . .
–nage
s'amuse
se bronze
se promène

Quand êtes-vous arrivé(e)?
Je suis arrivé*(e)*. . .
–*il y a* dix minutes
deux jours
une semaine

Où est-ce qu'il y a des touristes?
Il y en a . . .
–partout
quelque part

–Il *n*'y en a *nulle part.*

Avez-vous cent francs dans la poche?
–Non, je *n'*ai *que* trois francs.

ÉCOUTEZ LA BANDE NUMÉRO 16!

OÙ EST PASSÉ LE GÂTEAU?

Mme Degean – Entrez, entrez donc, Marie. Vous pouvez rester un petit moment? Je suis toute seule cet après-midi.

Marie – Mais avec plaisir, Mme Degean. Comment allez-vous?

Mme Degean – Vous savez, à mon âge . . .

Marie – Allons, Mme Degean, vous êtes encore jeune! Mmm . . . Ce qu'il fait bon chez vous!

Mme Degean – Oui, à cette heure-ci, il ne fait ni trop chaud ni trop froid. Voulez-vous boire quelque chose?

Marie – Ah! Je ne dis pas non! Mais seulement un grand verre d'eau.

Mme Degean – Ne préférez-vous pas une limonade, ou autre chose?

Marie – Non vraiment, Mme Degean, juste un verre d'eau.

Mme Degean – Très bien, très bien. Pauline, apportez-nous un verre d'eau fraîche et deux morceaux de gâteau.

Marie – Un gâteau que vous avez fait, Mme Degean?

Mme Degean – Ah, oui! Une de mes spécialités! Vous allez voir! Alors Pauline, ce gâteau?

Pauline – Madame . . . il n'y a pas de gâteau.

Mme Degean – Mais si, voyons : j'en ai fait un ce matin. Un grand gâteau au chocolat.

Pauline – Je sais, madame . . .

Mme Degean – Alors, regardez bien dans la cuisine et apportez-le!

Pauline – Madame . . .

Mme Degean – Allez! Ne restez pas là debout, enfin! Ah! . . . Cette Pauline!

Pauline – C'est à dire que . . .

Mme Degean – Qu'est-ce qu'il y a encore?

Pauline – . . . Je l'ai mangé, madame.

Mme Degean – Pauline!!!

EXERCICE 80

Répondez :

1. Qui vient voir Mme Degean?

2. Est-ce qu'il fait trop froid chez Mme Degean?

3. Marie veut-elle boire un verre de cognac?

4. Qu'est-ce qu'elle veut boire?

5. Qui est-ce qui doit apporter un verre d'eau pour Marie?

6. Où travaille-t-elle?

7. Est-ce que Mme Degean fait des gâteaux chez elle?

8. Combien est-ce qu'elle en a fait ce matin?

9. Pourquoi Pauline n'apporte-t-elle pas le gâteau?

10. Pauline aime-t-elle les gâteaux que fait Mme Degean?

EXERCICE 81

Marie n'a pas de sandwiches au fromage. *Elle n'a pas de sandwiches à la tomate.* *Et elle n'a pas de sandwiches au saucisson.*
Marie **n'a que** *des sandwiches au jambon.*

A. *Écrivez* **ne . . . que :**

J'ai un mois de vacances.
Je n'ai qu'un mois de vacances.

1. Les Durand ont un enfant.

____

2. Il y a une fille dans notre famille.

____

3. Nous écoutons de la musique classique.

____

4. Marthe a dormi cinq heures.

____

5. Yves viendra l'été prochain.

____

6. Cette cravate coûte quinze francs.

____

7. La femme de chambre a repassé les chemises.

____

8. J'ai fait nettoyer mon costume gris.

____

9. Denise s'habille chez Christian Dior.

____

10. Christophe se repose le dimanche.

____

Michel est à Bruxelles.
Il y est **depuis** *une semaine.*
Il reviendra à Paris **dans** *deux semaines.*

B. *Écrivez* **depuis** *ou* **dans** :

Nous verrons Laurent ___*dans*___ six mois.

1. Nous n'avons pas vu Agnès ______________ une semaine.
2. Stéphane part en voyage ______________ quinze jours.
3. Ariane est en France ______________ mercredi.
4. Elle n'a pas pu fermer l'œil ______________ son arrivée.
5. Elle prend l'avion pour Hambourg ______________ trois semaines.
6. ______________ quand habitez-vous à Tours?
7. J'y suis ______________ des années!
8. ______________ combien de temps étudiez-vous le français?
9. Les élèves sortiront de l'école ______________ deux minutes.
10. Ils prendront une autre leçon ______________ quatre ou cinq jours.

C. *Mettez au futur :*

1. Nous (aller) à la montagne.

____

2. Nous (aller) y passer une semaine.

____

3. Nous (louer) des skis pour une semaine.

____

4. Nous (faire) du ski.

____

5. Nous (s'amuser) beaucoup.

____

UN DIMANCHE À LA PLAGE

Pierre – C'est merveilleux, Marie. Regardez! C'est dimanche, il fait une journée splendide et il n'y a pas un chat sur la plage! Personne!

Marie – C'est parce qu'il est tôt; et puis, nous sommes encore au printemps.

Pierre – Oui, mais il fait aussi chaud qu'en été. Bon! Assez parlé! Vous savez nager, Marie?

Marie – Bien sûr que je sais nager! Je nage comme un poisson!

Pierre – Alors, venez! Venez dans l'eau!

Marie – Hou là-là . . . Ce qu'elle est froide!

Pierre – Mais non! Allez! Elle n'est pas froide!

Marie – Oh! Si! . . . Elle est . . . glacée! Brrrr . . .

(Après le bain)

Pierre – Marie, où est la serviette?

Marie – Dans le sac en plastique, avec les sandwiches.

Pierre – Qu'est-ce qu'il y a à manger?

Marie – Des sandwiches Pierre, je viens de vous le dire.

Pierre – À quoi?

Marie – Au jambon.

Pierre – Délicieux!

Marie – Évidemment! C'est moi qui les ai faits!

EXERCICE 82

À NOËL

Répondez :

1. Quelle est la date de Noël?

____

2. Les enfants reçoivent-ils beaucoup de cadeaux à Noël?

____

3. Quelle est la date du Jour de l'An?

____

4. La veille du Jour de l'An, est-ce qu'on voit beaucoup de monde dans les rues, les magasins, etc.?

____

5. Pendant les fêtes, il y a beaucoup de monde partout, n'est-ce pas?

____

6. Les Français prennent presque toujours leurs vacances en été, n'est-ce pas?

____

7. Mais ils les prennent aussi quelquefois en hiver, non?

____

8. Est-ce qu'il neige toujours à Noël?

____

9. Est-ce qu'on peut faire du ski en Suisse?

____

10. Préférez-vous la neige à la ville ou à la montagne?

____

EXERCICE 83

Écoutez la bande de la cassette No 6 et faites la deuxième dictée:

CHAPITRE 17 – RÉSUMÉ

Le ou la:
–l'air climatisé *(m)*
le chauffage
l'imperméable *(m)*
le médecin
le parapluie
le rendez-vous
le vent
le ventilateur

–la neige
la pharmacie

–les gants *(m)*
les médicaments *(m)*

Quel temps fait-il?
–Il fait gris.
Il fait du vent.

–Il *va pleuvoir.*
Il *pleut.*
Il *a plu.*

–Il *va neiger.*
Il *neige.*
Il *a neigé.*

Quand est-ce qu'il neige?
Il neige . . .
–rarement
souvent
en hiver

–Il ne neige *presque* jamais.

Chez qui va-t-on?
On va . . .
–chez le médecin
chez le dentiste
chez le coiffeur

–Je vais à la pharmacie.
(chez le pharmicien)

De quoi change-t-on?
On change . . .
–de chemise
de cravate
de robe

–d'adresse
de pays
de ville

–d'appartement
d'hôtel
de voiture

–de nom
de profession

–d'élève
de professeur
de secrétaire

–d'avion
de métro
de train

Quelle est sa profession?
Il est . . .
–artiste
médecin

La santé:
–Je suis malade.

J'ai attrapé . . .
–une maladie
un rhume

– « Atchoum! »
« À vos souhaits! »

ÉCOUTEZ LA BANDE NUMÉRO 17!

L'ÉTÉ À DEAUVILLE

C'est une petite ville française. Il y a des magasins, des hôtels, d'excellents restaurants, de merveilleuses boîtes de nuit et une très belle plage. Les touristes y viennent d'Allemagne, d'Angleterre, de Hollande, de Suisse, de Belgique, etc . . . Oui, à Deauville il y a tout cela . . . Mais si vous voulez étudier le français, si vous voulez le parler, n'allez pas à Deauville! Parce qu'on y parle l'anglais, l'allemand, le néerlandais . . . mais peu le français!

EXERCICE 84

Répondez :

1. Où est Deauville, en Hollande, en Belgique, en Suisse ou en France?

___

2. Est-ce que Deauville est aussi grand que Paris?

___

3. Comment sont les restaurants à Deauville?

___

4. Est-ce qu'il y a de merveilleuses boîtes de nuit?

___

5. La plage est-elle belle?

___

6. Deauville reçoit beaucoup de touristes, n'est-ce pas?

___

7. D'où viennent-ils?

___

8. Est-ce qu'il est bon d'aller à Deauville pour apprendre le français?

___

9. Quelles langues parle-t-on à Deauville?

___

10. Saint-Tropez aussi est une ville où beaucoup de gens vont passer leurs vacances, n'est-ce pas?

___

EXERCICE 85

> *Il est* **déjà** *dix heures et demie, et Pierre* **n'est pas encore** *arrivé au bureau.*
> *Il* **n'a jamais** *vu autant de monde dans les rues!*

A. *Répondez d'abord (a.) avec* **déjà,** *ensuite (b.) avec* **pas encore,** *enfin (c.) avec* **jamais :**

Avez-vous déjà vu le Président de la République?

a. Oui, *j'ai déjà vu le Président de la République.*

b. Non, *je n'ai pas encore vu le Président de la République.*

c. Non, *je n'ai jamais vu le Président de la République.*

1. Êtes-vous déjà allé à Chamonix?

a. Oui, ______________________________

b. Non, ______________________________

c. Non, ______________________________

2. Est-ce qu'Ernest a déjà travaillé comme garçon de café?

a. Oui, ______________________________

b. Non, ______________________________

c. Non, ______________________________

3. Sommes-nous déjà descendus à l'hôtel Plaza-Athénée?

a. Oui, ______________________________

b. Non, ______________________________

c. Non, ______________________________

4. Nos amis ont-ils déjà parlé à vos parents?

   a. Oui, ______________________________

   b. Non, ______________________________

   c. Non, ______________________________

5. Est-ce que Francis a déjà changé d'emploi?

   a. Oui, ______________________________

   b. Non, ______________________________

   c. Non, ______________________________

6. Est-ce qu'il a déjà neigé cette année?

   a. Oui, ______________________________

   b. Non, ______________________________

   c. Non, ______________________________

7. Est-ce que je vous ai déjà souhaité un joyeux Noël?

   a. Oui, ______________________________

   b. Non, ______________________________

   c. Non, ______________________________

8. Vous ai-je déjà souhaité une bonne année?

   a. Oui, ______________________________

   b. Non, ______________________________

   c. Non, ______________________________

B. *Mettez à la forme négative :*

1. M. et Mme Martin ont déjà fait leurs valises.

____

2. Ils sont déjà arrivés à la Gare de l'Est.

____

3. Ils veulent boire quelque chose.

____

4. Il y a quelqu'un qui les attend au restaurant.

____

5. Quelqu'un les a vus; quelqu'un va leur parler.

____

C. *Mettez à la forme affirmative :*

1. Mme Martin n'a pas encore acheté de médicaments pour son rhume.

____

2. Personne ne le fera pour elle.

____

3. Elle n'a pas encore fini de dîner.

____

4. Elle n'a rien sorti de son sac.

____

5. Elle ne donnera rien au garçon.

____

UN DIMANCHE À LA PLAGE *(suite)*

Marie – At . . . At . . . Atchoum!

Pierre – À vos souhaits!

Marie – Merci! . . . Je vous l'ai dit, Pierre : il fait encore trop froid pour aller à la plage.

Pierre – Marie, je vous en prie, allez voir un médecin.

Marie – Pour un rhume? Ah non! Jamais de la vie! Je vais prendre des médicaments; c'est tout!

Pierre – Vous en avez ici?

Marie – Non, je vais sortir pour en acheter.

Pierre – Laissez-moi aller les chercher.

Marie – Vous voulez bien? Oh! Merci, Pierre! Vous êtes très gentil.

Pierre – Attendez-moi ici.

Marie – Bon, entendu. Mais regardez comme il pleut : tenez, prenez ce parapluie!

(Pierre sort. Un peu plus tard, Marie entend frapper à la porte.)

Marie – Ah, c'est Pierre qui revient! Enfin!

Pierre – Et voilà! At . . . At . . . Atchoum!

Marie – Pierre!

Pierre – Atchoum! . . . Voilà . . . At . . . Atchoum! . . . les médica . . . Atchoum! . . . les médicaments . . . pour votre . . . At . . . Atchoum! . . . rhume.

EXERCICE 86

Écoutez la bande de la cassette No 6 et faites la troisième dictée:

CHAPITRE 18 — RÉSUMÉ

Qu'est-ce qu'on a fait?

— je *me* suis / vous *vous* êtes / il (elle, on) *s'*est / nous *nous* sommes / ils (elles) *se* sont

arrêté
assis
couché
habillé
deshabillé
lavé
levé
promené
reposé

(-s, -e, -es)

À qui est-ce?
C'est . . .
— à moi
à vous
à lui
à elle
à nous
à eux
à elles

Adjectifs démonstratifs:

— ce livre-ci	— ce livre-là
cet élève-ci	cet élève-là
cette classe-ci	cette classe-là
ces livres-ci	ces livres-là
ces chaises-ci	ces chaises-là

Le verbe «falloir» :
Il faut . . .

— allumer	— se reposer
écrire	se laver
parler	se raser
prendre	s'habiller

Qu'est-ce qu'il faut . . . ?

— Il *me* / *vous* / *lui* / *nous* / *leur* faut un passeport / une clé / dix francs *(pour . . .)*

Le verbe « savoir» :
Je sais . . .

— compter	— nager
danser	parler

Un peu de « tout» :

— tout le gâteau	— toute la bière
tous les paquets	toutes les bandes

— tout le monde
tout de suite
tout ce qu'il faut

Que faites-vous?	*Qu'avez-vous fait?*	*Que ferez-vous?*
Je (J') . . .	J'ai . . .	Je (J') . . .
— achète	— acheté	— achèterai
dîne	dîné	dînerai
laisse	laissé	laisserai
— attends	— attendu	— attendrai
éteins	éteint	éteindrai
reçois	reçu	recevrai
vois	vu	verrai
— dois	— dû	— devrai
peux	pu	pourrai
veux	voulu	voudrai

ÉCOUTEZ LA BANDE NUMÉRO 18!

APRÈS LA PLUIE, LE BEAU TEMPS

Marie – Bonjour, Pierre. Comment allez-vous?

Pierre – Bien merci, Marie.

Marie – Et votre rhume?

Pierre – Oh, c'est terminé!

Marie – Ah, bon! Le mien aussi est passé. Mais il y a deux jours que je ne sors pas de chez moi . . . Deux jours au lit sans sortir et sans travailler!

Pierre – Allons, allons, Marie! Tout ça est terminé maintenant. Venez! Nous allons faire une promenade dans le parc. Vous voulez bien?

Marie – Pourquoi pas?

EXERCICE 87

A. *Mettez au passé :*

UNE JOURNÉE DE VACANCES

1. Nous (partir) à neuf heures du matin, après avoir pris notre petit déjeuner. Nous (prendre) des serviettes de bain. Nous (faire) des sandwiches au jambon et nous les (mettre) dans notre sac de plage. Nous (acheter) aussi des boissons. Ensuite nous (monter) en voiture et nous (aller chercher) Marc et Jocelyne, des amis.

2. Je (arriver) à la plage avant eux. Je (se déshabiller) et je (se promener) sur la plage en maillot de bain. Je (s'asseoir) sur le sable. Ensuite, je (aller mettre) les pieds dans l'eau, et puis j'y (mettre) les mains et enfin la tête. Quand je (entrer) complètement dans l'eau, je (avoir) un peu froid.

3. C'est alors que vous (arriver), cher ami. Vous (marcher) sur le sable mouillé. Vous (nager) pendant quinze minutes. Vous (mettre) la tête dans l'eau. Puis vous (sortir) de l'eau, vous (aller) voir Jocelyne et vous (rester) avec elle.

4. Jocelyne (ouvrir) le sac en plastique pour y prendre une serviette. D'abord elle (s'essuyer) avec la serviette. Ensuite, elle (s'asseoir) dessus pour ne pas mettre de sable sur son maillot de bain mouillé. Elle (manger) un sandwich. Elle (mettre) ses lunettes de soleil pour se promener un peu sur la plage.

5. Mes amis et moi, nous (rester) au soleil du matin au soir. Nous (bien s'amuser). Mais je vous (voir) partir. Vous (rentrer) à l'hôtel avant les autres. Pourquoi est-ce que vous (ne pas rester) plus longtemps avec nous? Vous (ne pas s'amuser)?

B. *Mettez au futur :*

J'ai reçu des cartes postales de notre ami Jean-François. J'ai bien voulu lui répondre, mais je n'ai pas pu le faire. Il n'a pas voulu me donner son adresse à Bruxelles. Nous avons dû la demander à ses parents; mais nous n'avons pas eu besoin, pour cela, d'aller les voir : nous leur avons tout simplement téléphoné.

UNE BONNE SECRÉTAIRE

(M. Duval est dans son bureau. On frappe à la porte.)

M. Duval – Bonjour, Monsieur Marchal, comment allez-vous?
M. Marchal – Très bien, merci et vous?
M. Duval – Bien, vous m'apportez quelque chose?
M. Marchal – Oui, des projets de lettres. Avez-vous eu celui que j'ai donné à votre secrétaire?
M. Duval – Vous en avez donné un à ma secrétaire? Elle ne m'a rien dit. Attendez, je vais l'appeler.
Mlle Simon – Vous m'avez appelée, monsieur?
M. Duval – Oui, je vous ai appelée il y a cinq minutes.
Mlle Simon – Excusez-moi, j'ai dû répondre au téléphone et je viens de raccrocher.
M. Duval – Oui, c'est bien. Monsieur Marchal me dit qu'il vous a donné un projet de lettre; vous ne me l'avez pas montré.
Mlle Simon – Non, monsieur, je ne vous ai pas vu, alors je l'ai mis dans le parapheur.
M. Duval – Je n'ai pas vu de parapheur; où l'avez-vous mis?
Mlle Simon – Je l'ai mis sur votre bureau vendredi en partant avec beaucoup de lettres à signer ainsi que le projet de Monsieur Marchal.
M. Duval – Ah oui! Maintenant je me rappelle. Je suis passé samedi matin pour signer du courrier, mais je ne me souviens pas d'avoir vu autre chose que les lettres à signer.
Mlle Simon – Permettez-vous que je regarde sur votre bureau?
M. Duval – Regardez où vous voulez mais faites vite.
Mlle Simon – Voilà, monsieur, il est dans votre tiroir.
M. Duval – Faites voir. Ah, oui! Maintenant je me rappelle, c'est vrai, c'est moi qui l'y ai mis! Excusez-moi.
Mlle Simon – Désirez-vous du café, monsieur?
M. Duval – Oui, apportez-nous deux cafés, s'il vous plaît.

(La secrétaire sort du bureau.)

M. Marchal – Heureusement que vous avez une bonne secrétaire. Elle est aussi très jolie.
M. Duval – Oui, mais ce qui m'intéresse, c'est son travail. Elle sait vraiment bien travailler et n'oublie jamais rien.

EXERCICE 88

Répondez :

1. Qui vient voir M. Duval?

____

2. M. Marchal apporte-t-il quelque chose à M. Duval?

____

3. M. Duval a-t-il vu le projet de lettre que M. Marchal a donné à la secrétaire?

____

4. Est-ce qu'il s'en souvient?

____

5. Où la secrétaire l'a-t-elle mis?

____

6. Le projet est-il sur le bureau?

____

7. Où est-il?

____

8. La secrétaire le trouve-t-elle?

____

9. La secrétaire est-elle jolie ou laide?

____

10. Mais qu'est-ce qui intéresse le plus M. Duval?

____

EXERCICE 89

Écoutez la bande de la cassette No 6 et faites la quatrième dictée:

CHAPITRE 19 — RÉSUMÉ

Qui est-ce?
C'est . . .
—un ouvrier d'usine
la maîtresse de maison
l'ouvreuse *(f)*

Théâtre et cinéma:
—l'appareil-photo *(m)*
le balcon
l'entr'acte *(m)*
l'orchestre *(m)*

—la caméra
la pellicule
la pièce de théâtre

La langue:
—l'accent
le vocabulaire
les articles
les verbes

—la compréhension
la prononciation
la grammaire

La maison:
—le living-room
le salon

—la cuisine

Les meubles:
—le fauteuil

—l'armoire *(f)*
la chaise
la commode
la table

Pour le touriste:
—Regardez le plan!
Prenez la 2ème rue à gauche!
Allez tout droit!
C'est un sens interdit!

Que faites-vous?
Je . . .
—copie un texte
fais la queue
prends mon temps
passe le temps
rends visite à un ami

Comment le faites-vous?
Je le fais . . .
—vite
lentement

—correctement
par écrit

Qu'est-ce que vous êtes en train de faire?
Je suis en train . . .
—d'écrire une lettre
de lire un journal

À quoi vous intéressez-vous?
Je m'intéresse . . .
—au cinéma
au sport

—à la politique
aux langues

Qu'avez-vous oublié . . . ?
J'ai oublié . . .
—un nom
une adresse

—mon parapluie
votre journal

—*de* donner un pourboire
*d'*écrire mes exercices

Que voit-on au cinéma?
On voit . . .
—des films
les actualités politiques
les actualités sportives

Les prix des loyers à Paris:
Ils sont . . .
—chers
moins/plus chers qu'à . . .

Le travail:
Je travaille . . .
—sans arrêt
jusqu'à dix heures

Ressemblances:
—Je ressemble à mon père *(à la mère).*
—Le français ressemble à l'espagnol.
—Votre voiture ressemble à la mienne.

ÉCOUTEZ LA BANDE NUMÉRO 19!

DES AMIS PEU SYMPATHIQUES

(Pierre et Marie vont voir des amis.)

Marie – Nous prenons le métro, Pierre?
Pierre – Si vous voulez, mais il faut changer.
Marie – A quelle station?
Pierre – À *Châtelet.*
Marie – On doit faire la queue pour acheter les tickets.
Pierre – Non, non, ça va, j'en ai.
Marie – Bon, alors allons-y! Vite. Le métro arrive!
Pierre – Et voilà!
Marie – Ouf! Asseyons-nous. Nous allons pouvoir nous reposer un peu.

(Toujours dans le métro)

Marie – Est-ce encore loin?
Pierre – Non, nous arriverons dans dix minutes. Nous descendrons à la station *Gare du Nord.*
Marie – C'est là qu'habitent vos amis?
Pierre – Oui, ils habitent près de la Gare du Nord.
Marie – Est-ce qu'ils nous attendent?
Pierre – Oui, je leur ai téléphoné à midi. Vous verrez, Jacques et Yvonne sont très sympathiques.

(Pierre et Marie arrivent enfin chez leurs amis.)

Pierre – Jacques, Yvonne . . . je vous présente Marie.
Jacques – Enchanté.
Yvonne – Enchantée.
Marie – Enchantée.
Pierre – J'aime beaucoup votre appartement, Yvonne.
Yvonne – Bah! Tous les appartements se ressemblent.
Pierre – ! ! ! . . .
Marie – Et il n'y a pas trop de bruit, avec la gare à côté?
Jacques – Oh, le bruit, le bruit. Il y en a partout, du bruit!
Marie – . . . Euh . . . oui, naturellement . . .
Pierre – Il fait un temps magnifique aujourd'hui, n'est-ce pas?
Yvonne – Magnifique? Vous appelez ça *magnifique*? Il fait beaucoup trop chaud.
Pierre – Euh . . . Comment va le travail, Jacques?
Jacques – Bah! Le travail, c'est le travail.
Pierre – ! ! ! . . .
Marie – Dites-moi, Yvonne . . . Est-ce que votre famille est ici, à Paris?
Yvonne – Je n'ai pas de famille.
Marie – ! ! ! . . .

Pierre – Bon . . . euh . . . eh bien! Nous allons bientôt partir.
Jacques – Au revoir.
Yvonne – Au revoir!
Pierre – ! ! ! . . .
Marie – Et merci.

(Pierre et Marie sortent de l'appartement.)

Marie – Ouf!
Pierre – Ça alors!
Marie – Avez-vous beaucoup d'amis aussi « sympathiques » qu'eux?

EXERCICE 90

Répondez :

1. Pour aller voir leurs « amis », Pierre et Marie prennent-ils l'autobus?

___

2. À quelle station doivent-ils changer?

___

3. On achète les tickets dans la station de métro, n'est-ce pas?

___

4. Pierre et Marie doivent-ils faire la queue pour acheter des tickets de métro?

___

5. Pierre et Marie peuvent-ils s'asseoir dans le métro?

___

6. Où descendent-ils?

___

7. Pierre présente-t-il Marie à ses amis?

____

8. Que disent Jacques et Yvonne quand Pierre leur présente Marie?

____

9. Pierre aime-t-il ou n'aime-t-il pas l'appartement d'Yvonne?

____

10. Est-ce que tous les appartements se ressemblent vraiment?

____

11. Est-ce que Pierre parle de l'appartement?

____

12. Cet appartement est-il loin de la gare?

____

13. Est-ce que Pierre parle du temps?

____

14. Que dit-il?

Il dit qu'il ____

15. Pour Yvonne, le temps est-il « magnifique » aussi?

____

16. Marie sait-elle où est la famille d'Yvonne?

____

17. Mais Yvonne n'aime pas parler, n'est-ce pas?

____

18. Pierre et Marie sont-ils restés longtemps chez Jacques et Yvonne?

____

EXERCICE 91

CHANGEONS DE CONVERSATION

Répondez :

1. Est-ce que le ciel change de couleur quand il fait mauvais?

___

2. Est-ce que vous changez d'adresse tous les jours?

___

3. Est-ce que beaucoup d'artistes changent de nom?

___

4. Quand on voyage beaucoup, change-t-on souvent d'hôtel?

___

5. Ces dernières années, Paris a beaucoup changé, n'est-ce pas?

___

6. Ces dernières années, le cinéma, la musique et la peinture aussi ont beaucoup changé, n'est-ce pas?

___

7. Les danses ont-elles aussi beaucoup changé?

___

8. Est-ce que vous devez quelquefois changer, quand vous prenez le métro?

___

9. Au cinéma, si on ne voit pas bien, que fait-on?

___

10. Quand vous êtes mal assis, changez-vous de place?

___

EXERCICE 92

LES APPARTEMENTS

A. *Répondez :*

1. En France, on travaille généralement jusqu'à 18 heures dans les bureaux, n'est-ce pas?

___

2. Après avoir travaillé toute une journée, aimez-vous rentrer à la maison le soir?

___

3. En général, on paye son loyer à la fin du mois, n'est-ce pas?

___

4. Les beaux appartements sont chers à Paris, non?

___

5. Y a-t-il une grande baignoire dans votre appartement?

___

6. Où est-elle?

___

7. Où est votre réfrigérateur?

___

8. Y a-t-il de grands fauteuils dans la cuisine?

___

9. Les commodes ont-elles beaucoup de tiroirs?

___

10. Les commodes et les armoires se ressemblent-elles?

___

B. *Mettez aux différentes personnes :*

J'oublie rarement de payer mon loyer.

Il *oublie rarement de payer son loyer.*

1. Nous __________
2. Juliette __________
3. Vous __________
4. La famille Bresson __________
5. Les deux vieilles dames qui habitent au 3e étage __________

Alexandre ressemble à son grand-père.

Vous *ressemblez à votre grand-père.*

6. Je __________
7. Anne __________
8. Vous __________
9. Mes frères et moi, nous __________
10. Ces enfants __________

C. *Écrivez* **être en train de :**

Je lis une pièce de Jean Giraudoux.

Je suis en train de lire une pièce de Jean Giraudoux.

1. Alice écrit à une amie.

2. Nous parlons de Beethoven.

3. Mesdames, mesdemoiselles, messieurs, vous visitez le Musée d'Art moderne!

4. Qu'est-ce qu'ils font?

______

5. Ils mangent et ils boivent.

______

6. Colette dort dans sa chambre.

______

7. Les enfants s'amusent dans le corridor.

______

8. Que faites-vous?

______

9. Vous vous reposez pour pouvoir mieux travailler ensuite.

______

10. Il pleut.

______

Demain, à quatre heures, ma femme prendra une glace dans un salon de thé.

Demain, à quatre heures, ma femme sera en train de prendre une glace dans un salon de thé.

11. Ensuite, vers cinq heures, elle achètera un chapeau ou une robe rue du Faubourg St. Honoré.

______

12. Que ferai-je pendant ce temps-là?

______

13. Je travaillerai.

______

14. Je dicterai une lettre.

______

15. A neuf heures du soir je dînerai avec des amis dans un petit restaurant de l'Ile Saint-Louis.

______

CHAPITRE 20 – RÉSUMÉ

Pour le voyage:
On . . .
– a besoin d'un visa
fait ses valises
prend un billet aller-retour
arrive à Paris
va chercher ses bagages
passe à la douane
signe sa déclaration
ouvre ses valises
les referme
les reprend
remet les clés dans sa poche
porte ses valises au taxi

Pendant le voyage:
On voit . . .
– les paysages de France
les monuments de Paris
le château de Versailles, *etc.*

On achète . . .
– des souvenirs de Paris
des cartes postales
(On les envoie *par avion.*)

À la poste:
On . . .
– va au guichet
fait la queue
demande un timbre
paye avec une pièce de 1F

– L'employé rend la monnaie.

La voiture:
On . . .
– va à la station service
a besoin d'essence
en met dans la voiture
fait faire le plein
vérifie l'huile

ÉCOUTEZ LA BANDE NUMÉRO 20!

ET . . . MERCI MILLE FOIS

Pierre – Est-ce que vous avez déjà fait vos valises?

Marie – Non, pas encore.

Pierre – Ah, il faut faire vite. Votre avion part à onze heures et demie. Vous avez votre billet?

Marie – Oui, il est dans mon passeport. À quelle heure arriverai-je à Montréal?

Pierre – À sept heures du soir, heure de Paris. Vous resterez deux mois au Canada?

Marie – Deux ou trois mois, Pierre.

Pierre – Alors, bon voyage, Marie, et . . . revenez-nous bien vite!

Marie – C'est promis, Pierre, et . . . merci mille fois!

EXERCICE 93

L'ARRIVÉE

A. *Mettez au passé :*

1. Nous sortons notre passeport et notre billet d'avion de notre poche. ____________________

____________________ 2. Nous y laissons nos chèques de voyage. ____________________

____________________ 3. Nous devons d'abord aller au bureau des passeports puis chercher nos valises et enfin passer à la douane. ____________________

____

4. Nous signons notre déclaration. ____________________

____________________ 5. Nous devons ouvrir nos valises. ____________________

____________________ 6. Nous n'avons pas de difficulté à passer car nous n'avons acheté que des souvenirs. ____________________

____________________ 7. Nous pouvons refermer nos valises. ____________________

____

B. *Continuez au futur :*

1. Nous appelons un porteur pour porter nos valises jusqu'à l'arrêt d'autobus. ____________________

____________________ 2. Là, nous devons faire la queue avant de prendre place dans l'autobus.

____

____________________ 3. Nous y faisons mettre nos valises et nous montons. ____________________

____________________ 4. Déjà, les gens parlent français.

____

5. Nous regardons par la fenêtre de l'autobus. ______________________________

______________________________ 6. Il pleut. ______________________________

7. Nous voyons des arbres sur les trottoirs et beaucoup de monde partout. ______________

____

______________________ 8. Nous regardons comment les Parisiens sont habillés. ________

____

9. L'autobus arrive à un carrefour et s'arrête à un feu rouge. ______________________

____

10. Les autres voitures s'arrêtent aussi. ______________________________

______________________ 11. Nous regardons les gens. ______________________

______________ 12. Enfin nous arrivons aux Invalides. ______________________

____ 13. Tout le monde descend.

____ 14. Nous allons chercher nos valises.

____ 15. Nous demandons à

quelqu'un où se trouve le guichet pour confirmer les réservations. ______________________

______________________ 16. Ensuite nous allons au bureau de change. ____________

____ 17. Enfin nous sortons.

______________________________ 18. Mais il faut encore faire la queue pour attendre

un taxi. ____

______________________________ 19. Dans le taxi, nous pouvons nous reposer

un peu. ____

__________ 20. Paris est très beau sous la pluie. ______________________________

______________________ 21. Bientôt on est à l'hôtel. ______________________________

______________ 22. C'est un petit hôtel du Quartier Latin. ______________________

______________________________ 23. Après une bonne nuit de sommeil, nous

pouvons commencer à visiter la capitale! ______________________________

____

24. C'est merveilleux, non? ____

EN VOYAGE

À l'hôtel

Je voudrais une chambre avec / sans salle de bains.
douche.
télévision.

– Pour combien de personnes? Pour une personne.
Pour moi seul.
Pour deux.

– Quand? Dans une semaine.
Dans un mois.

– À partir de quand? À partir de lundi prochain.
À partir du 10 janvier.
À partir de ce soir.

– Pour combien de temps? Pour une nuit.
Pour trois jours.
Pour deux semaines.
Jusqu'à mardi.
Je ne le sais pas encore exactement.
Du 13 au 28 mars.

Ce que vous devrez peut-être dire :

– Nous voudrions une chambre pour la nuit, s'il vous plaît.

– Pour combien de personnes?

– Pour deux.

– Avec salle de bains?

– Oui, s'il vous plaît. C'est combien?

– C'est 90 francs la nuit, et le petit déjeuner est compris.

– Ah! Très bien. Voulez-vous voir mon passeport?

– Non, non! Signez seulement ici, s'il vous plaît. Merci.
Voici votre clé. Vous avez la chambre 36, au 2ème.

Vous voulez aller à . . .

Pardon, monsieur. Je voudrais aller à . . .

Est-ce loin?

Quel autobus dois-je prendre pour aller à . . .

Est-ce que ce métro va à . . .

À quelle station dois-je descendre?

Comment va-t-on à la Tour Eiffel? Au Louvre?

Est-ce qu'il y a un bureau de poste près d'ici?

Et n'oubliez pas que les agents de police peuvent vous aider si c'est nécessaire.

À la poste

Si vous voulez des cigarettes, vous allez dans un bureau de tabac.

Si vous voulez acheter des timbres, vous allez aussi dans un tabac!

Ou vous allez à la poste, bien sûr! Là, vous dites :

Comment est-ce que je peux envoyer un télégramme?

Quel est le tarif par mot?

Au guichet « Poste restante » :

Est-ce qu'il y a quelque chose pour M. Brown?

Vous montrez une pièce d'identité (passeport, permis de conduire, etc . . .).

À la blanchisserie (ou à la teinturerie)

Je voudrais faire laver ce linge.

Quand sera-t-il prêt?

Pouvez-vous nettoyer ce costume, cette robe?

Au téléphone

Quand vous téléphonerez en France, vous devrez peut-être attendre parce que les Français aiment beaucoup parler . . . Si vous voulez savoir un numéro, vous pouvez le demander ainsi à la téléphoniste:

– Allô, les renseignements? Je voudrais le numéro de L'American Express, s'il vous plaît.

On vous répondra par exemple:

– Un instant, je vous prie . . .

(Et deux minutes plus tard)

Le numéro est 073–42–50 (zéro, soixante-treize, quarante-deux, cinquante).

– Pardon? . . . Pouvez-vous parler plus lentement?

– Le–numéro–est–073–42–50.

– Ah! Merci, mademoiselle.

À la banque

Avant d'aller à la banque, vous lirez peut-être le journal pour voir quel est le change. À la banque, vous direz par exemple:

– Pouvez-vous changer ces chèques de voyage, s'il vous plaît?

On vous répondra peut-être:

– Voulez-vous des billets de dix ou de cent?

Rappelez-vous que les jours de fête ne sont pas les mêmes en France que dans votre pays, et que les banques ferment généralement à 16 heures.

Chez le coiffeur

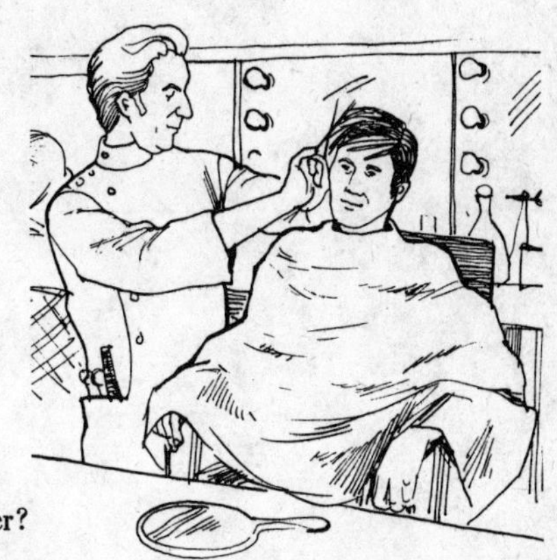

Pour hommes :

Vous direz peut-être à votre coiffeur :

– Je voudrais une coupe au rasoir, s'il vous plaît.

Une coupe normale.

Pas trop courts.

Longs derrière.

Merci. C'est très bien. Où est-ce que je dois payer?

Pour dames :

Vous aurez peut-être cette conversation avec votre coiffeur :

– Pouvez-vous me prendre aujourd'hui? Je voudrais un shampooing et une mise en plis.

– Ah! . . . Non, madame. Je suis désolé. Il faut prendre rendez-vous.

– Bon . . . Alors . . . Mercredi prochain, à dix heures?

– Voyons . . . Oui, mercredi, à dix heures. C'est parfait.

– Merci, monsieur. À mercredi!

Quand vous avez faim ou soif

Vous connaissez maintenant beaucoup de vocabulaire gastronomique. C'est le moment d'aller au restaurant! Mais ne commandez pas un plat que vous mangez dans votre pays et que vous connaissez déjà. Pourquoi ne pas prendre un plat bien français, une spécialité de notre pays? Il y en a beaucoup que vous aimerez, j'en suis sûr. Essayez donc un « coq au vin » ou un « canard à l'orange »! Si vous n'aimez pas les plats en sauce, demandez un « bifteck pommes frites ». Voici quelques phrases que vous direz :

– Une table pour deux personnes, s'il vous plaît.

Le menu et la carte des vins, s'il vous plaît.

L'addition, s'il vous plaît.

Avant de partir, un mot à nos élèves:

Vous avez maintenant terminé notre cours de Français I. Nous espérons qu'il ne vous a pas donné trop de mal ! Après tout, ce dernier exercice de votre livre n'était pas *si* difficile, n'est-ce pas?

La préface de ce livre était adressée à vos professeurs; nous parlions de la Méthode Berlitz. C'est encore de cette méthode que nous parlons ici. Mais aujourd'hui, *vous aussi* vous pouvez lire ce que nous en disons. Lire, comprendre et répondre si vous voulez. En français.

Pour M. D. Berlitz, le *Loqui loquendi discitur* était une règle d'or; vous le savez maintenant aussi bien que nous : c'est en parlant qu'on apprend à parler.

À vous donc, madame, qui êtes déjà allée en France, ou à vous mademoiselle, qui n'y êtes pas encore allée, ou bien à vous monsieur, qui devez partir demain, nous disons ceci : bravo ! Pour votre courage. Pour votre travail. Tôt ou tard, vous saurez qu'ils ont porté leurs fruits.

Dans notre cours de Français II, nous continuerons ce que nous avons commencé cette année. Le français que vous parlez *maintenant* est peut-être encore la langue d'un touriste, mais c'est déjà une porte grande ouverte sur notre civilisation. C'est cette civilisation et son visage de tous les jours qui forment le cadre de notre deuxième cours. Demain, votre français sera meilleur et vous le parlerez avec plus de facilité.

TABLE DES VERBES

AVOIR

Présent	Passé	Futur
j'ai	j'ai eu	j'aurai
vous avez	vous avez eu	vous aurez
il a	il a eu	il aura
elle a	elle a eu	elle aura
nous avons	nous avons eu	nous aurons
vous avez	vous avez eu	vous aurez
ils ont	ils ont eu	ils auront
elles ont	elles ont eu	elles auront

ÊTRE

Présent	Passé	Futur
je suis	j'ai été	je serai
vous êtes	vous avez été	vous serez
il est	il a été	il sera
elle est	elle a été	elle sera
nous sommes	nous avons été	nous serons
vous êtes	vous avez été	vous serez
ils sont	ils ont été	ils seront
elles sont	elles ont été	elles seront

MARCHER

Présent	Passé	Futur
je marche	j'ai marché	je marcherai
vous marchez	vous avez marché	vous marcherez
il marche	il a marché	il marchera
elle marche	elle a marché	elle marchera
nous marchons	nous avons marché	nous marcherons
vous marchez	vous avez marché	vous marcherez
ils marchent	ils ont marché	ils marcheront
elles marchent	elles ont marché	elles marcheront

VERBES EN « –ER »

acheter
adorer
aimer
apporter
arriver*
attraper
briller
changer
chanter
chercher
commander
commencer
compter
continuer
copier
couper
coûter
danser
déchirer
décrocher
déjeuner
dîner
disposer
donner
durer
écouter
entrer*
fermer
frapper
fumer
gagner
habiter
jouer
laisser
louer
manger
monter*
montrer
nager
oublier
parler
passer
porter
poser
préférer
prononcer
quitter
raccrocher
refermer
regarder
rentrer*
repasser
répéter
ressembler
rester*
retourner
signer
sonner
souhaiter
téléphoner
tourner
travailler
traverser
visiter

* Se conjugue avec être.

VERBES RÉFLÉCHIS

SE LEVER

Présent	Passé	Futur
je me lève	je me suis levé	je me lèverai
vous vous levez	vous vous êtes levé	vous vous lèverez
il se lève	il s'est levé	il se lèvera
elle se lève	elle s'est levée	elle se lèvera
nous nous levons	nous nous sommes levés	nous nous lèverons
vous vous levez	vous vous êtes levés	vous vous lèverez
ils se lèvent	ils se sont levés	ils se lèveront
elles se lèvent	elles se sont levées	elles se lèveront

s'amuser
s'arrêter
se brosser
se brûler
se coucher
se déshabiller
s'habiller
s'intéresser
se laver
se peigner
se promener
se raser
se reposer
se réveiller

AUTRES VERBES

Infinitif	Présent					Futur	Participe passé
	je	vous	il, elle	nous	ils, elles	il, elle	
aller*	vais	allez	va	allons	vont	ira	allé
appeler	appelle	appelez	appelle	appelons	appellent	appellera	appelé
apprendre	apprends	apprenez	apprend	apprenons	apprennent	apprendra	appris
attendre	attends	attendez	attend	attendons	attendent	attendra	attendu
boire	bois	buvez	boit	buvons	boivent	boira	bu
choisir	choisis	choisissez	choisit	choisissons	choisissent	choisira	choisi
comprendre	comprends	comprenez	comprend	comprenons	comprennent	comprendra	compris
descendre*	descends	descendez	descend	descendons	descendent	descendra	descendu
devoir	dois	devez	doit	devons	doivent	devra	dû
dire	dis	dites	dit	disons	disent	dira	dit
dormir	dors	dormez	dort	dormons	dorment	dormira	dormi
écrire	écris	écrivez	écrit	écrivons	écrivent	écrira	écrit
entendre	entends	entendez	entend	entendons	entendent	entendra	entendu
envoyer	envoie	envoyez	envoie	envoyons	envoient	enverra	envoyé
essuyer	essuie	essuyez	essuie	essuyons	essuient	essuiera	essuyé
éteindre	éteins	éteignez	éteint	éteignons	éteignent	éteindra	éteint
faire	fais	faites	fait	faisons	font	fera	fait

finir	finis	finissez	finit	finissons	finissent	finira	fini
lire	lis	lisez	lit	lisons	lisent	lira	lu
mettre	mets	mettez	met	mettons	mettent	mettra	mis
nettoyer	nettoie	nettoyez	nettoie	nettoyons	nettoient	nettoiera	nettoyé
ouvrir	ouvre	ouvrez	ouvre	ouvrons	ouvrent	ouvrira	ouvert
partir*	pars	partez	part	partons	partent	partira	parti
payer	paie/paye	payez	paie/paye	payons	paient/payent	paiera	payé
pouvoir	peux	pouvez	peut	pouvons	peuvent	pourra	pu
prendre	prends	prenez	prend	prenons	prennent	prendra	pris
recevoir	reçois	recevez	reçoit	recevons	reçoivent	recevra	reçu
refaire	refais	refaites	refait	refaisons	refont	refera	refait
rendre	rends	rendez	rend	rendons	rendent	rendra	rendu
répondre	réponds	répondez	répond	répondons	répondent	répondra	répondu
revenir*	reviens	revenez	revient	revenons	reviennent	reviendra	revenu
savoir	sais	savez	sait	savons	savent	saura	su
sentir	sens	sentez	sent	sentons	sentent	sentira	senti
venir*	viens	venez	vient	venons	viennent	viendra	venu
voir	vois	voyez	voit	voyons	voient	verra	vu
vouloir	veux	voulez	veut	voulons	veulent	voudra	voulu

* Se conjugue avec être.

CORRIGÉS DES EXERCICES

Pour chaque question, il y a souvent plus d'une réponse possible. Le corrigé ci-dessous représente en général **une seule** *de ces possibilités.*

Exercice 1. 1. C'est une porte. 2. C'est une chaise. 3. C'est un cigare. 4. C'est une cigarette. 5. C'est un paquet. 6. C'est un café. 7. C'est une ville. 8. C'est une allumette. 9. C'est une rue. 10. C'est un boulevard.

Exercice 2. 1. Oui, c'est une allumette. Non, ce n'est pas une allumette. 2. Oui, c'est un livre. Non, ce n'est pas un livre. 3. Oui, c'est un crayon. Non, ce n'est pas un crayon. 4. Oui, c'est une porte. Non, ce n'est pas une porte. 5. Oui, c'est un boulevard. Non, ce n'est pas un boulevard.

Exercice 3. 1. Elle n'est pas grande. 2. Il n'est pas grand. 3. Elle n'est pas courte. 4. Elle n'est pas petite. 5. Il n'est pas rouge.

Exercice 4. 1. Comment est Paris? 2. Qu'est-ce que c'est? 3. Est-ce que la Suisse est petite? 4. De quelle couleur est la bande? 5. Est-ce que Paris est un pays? 6. Comment est Monaco? 7. Est-ce que Paris est une ville? 8. Est-ce que la cigarette est blanche? 9. Comment est le boulevard Pasteur? 10. Est-ce que la rue de la Paix est longue?

Exercice 5. 1. Non, le chien n'est pas noir. 2. Le chien est blanc. 3. Elle est petite. 4. Non, elle n'est pas blanche. 5. Elle est noire. 6. Non, il n'est pas devant la voiture. 7. Il est derrière la voiture. 8. Il est français. 9. Il est assis. 10. Il est assis dans la voiture.

Exercice 6. 1. Il est dix heures. 2. Il est trois heures. 3. Il est quatre heures. 4. Il est cinq heures. 5. Il est sept heures.

Exercice 7. 1. Ce chapeau est marron. Ce chapeau marron est grand. 2. Cette robe est bleue. Cette robe bleue est courte. 3. Cette voiture est verte. Cette voiture verte est grande. 4. Cette cravate est rouge. Cette cravate rouge est longue. 5. Ce manteau est jaune. Ce manteau jaune est court.

Exercice 8. 1. sur 2. devant 3. derrière 4. sous 5. sur 6. derrière 7. en 8. à 9. à 10. en

Exercice 9. 1. . . . est un vin italien. 2. . . . est une bière hollandaise. 3. . . . est un avion américain. 4. . . . est un journal anglais. 5. . . . est une bière allemande. 6. . . . est un avion français. 7. . . . est une voiture japonaise. 8. . . . est une ville brésilienne. 9. . . . est un vin français. 10. . . . est un journal russe. 11. . . . est une montre américaine. 12. . . . est une ville allemande. 13. . . . est une voiture anglaise. 14. . . . est un stylo français. 15. . . . est une ville japonaise.

Exercice 10. 1. suis; Je ne suis pas . . . 2. êtes; Vous n'êtes pas . . . 3. est; Il n'est pas . . . 4. sommes; Nous ne sommes pas . . . 5. est; Elle n'est pas . . .

Exercice 11. 1. C'est sa voiture. 2. C'est son chapeau. 3. C'est son chien. 4. C'est son journal. 5. C'est sa cigarette. 6. C'est sa cravate.

Exercice 12. 1. C'est ma profession. 2. C'est sa nationalité. 3. C'est ma nationalité. 4. Ce n'est pas votre nationalité. 5. Ce n'est pas votre profession.

Exercice 13. 1. Où est le taxi? 2. Qui est-ce? 3. Qu'est-ce que c'est? 4. Quelle heure est-il? 5. De quelle couleur est ce livre? 6. De quelle couleur est votre voiture? 7. Quelle heure est-il? 8. Quelle ville est grande? 9. Comment est cette rue? 10. Quel numéro est-ce?

Exercice 14. 1. a. Est-ce que nous sommes en classe? b. Sommes-nous en classe? 2. a. Est-ce que Mademoiselle Simon est secrétaire? b. Mademoiselle Simon est-elle secrétaire? 3. a. Est-ce que vous êtes un bon élève? b. Êtes-vous un bon élève? 4. a. Est-ce qu'il est trois heures? b. Est-il trois heures? 5. a. Est-ce que cet exercice est long? b. Cet exercice est-il long?

Exercice 15. A. 1. Il est huit heures et quart. 2. Il est une heure dix. 3. Il est sept heures cinq. 4. Il est dix heures et demie. 5. Il est trois heures moins dix.

B. 1. Le train part à onze heures moins dix. 2. Il arrive à Dijon à trois heures dix. 3. Je viens à l'école à trois heures moins vingt. 4. J'entre dans la classe à trois heures moins (le) quart. 5. L'école ferme à neuf heures moins vingt.

Exercice 16. 1. Non, la banque n'est pas ouverte à huit heures. 2. Elle ouvre à neuf heures. 3. Non, le super-marché ne ferme pas avant la banque. 4. Le bureau ouvre avant le super-marché. 5. Le restaurant ferme à vingt-trois heures.

Exercice 17. 1. Il est à Paris. 2. Il va à Lille. 3. Lille est en France. 4. Non, il ne va pas à Lille en avion. 5. Il va à Lille en train. 6. Il sort de la maison à huit heures et demie. 7. Il prend un taxi. 8. Son train part de la Gare du Nord. 9. C'est une grande gare de Paris. 10. Son train part à neuf heures. 11. Non, son train n'arrive pas à Lille avant onze heures. 12. Il arrive à Lille à onze heures et demie.

Exercice 18. A. Je suis à Paris. À huit heures et demie, je mets mon manteau, sors de la maison et prends un taxi pour aller à la gare. Je prends le train pour Lille à la Gare du Nord. C'est une grande gare de Paris. Mon train part à neuf heures et arrive à Lille à onze heures et demie.

B. Vous êtes à Paris. À huit heures et demie vous mettez votre manteau, sortez de la maison, et prenez un taxi pour aller à la gare. Vous prenez le train pour Lille à la Gare du Nord. C'est une grande gare de Paris. Votre train part à neuf heures et arrive à Lille à onze heures et demie.

Exercice 19. 1. Il va au bureau à huit heures. 2. Il vient de la maison. 3. Il va au bureau en train. 4. Il va à la gare pour prendre le train. 5. Il va au restaurant à une heure. 6. Il va au restaurant à pied. 7. Il va à l'école à cinq heures. 8. Il va à l'école en autobus. 9. Il va à la maison après la leçon. 10. Il vient de l'école.

Exercice 20. 1. Ouvrez la porte, . . . 2. Venez à six heures, . . . 3. Regardez l'illustration, . . . 4. Écoutez la bande, . . . 5. Sortez de la classe, . . .

Exercice 21. 1. . . . allez à l'école. . . . vais à l'école. . . . allez à l'école! 2. . . . ne prenez pas le métro. . . . ne prend pas le métro. . . . ne prenez pas le métro! 3. . . . met la tasse sur la table. . . . mettez la tasse sur la table. . . . mets la tasse sur la table. 4. . . . écoutez la bande. . . . écoute la bande. . . . écoutez la bande! 5. . . . ne fume pas en classe. . . . ne fumez pas en classe. . . . ne fume pas en classe!

Exercice 22. 1. Je vais à la gare pour prendre le train. 2. Vous prenez un taxi pour aller à la gare. 3. Il va à la maison pour regarder la télévision. 4. Je prends la cassette pour écouter la bande. 5. Elle ouvre la porte pour sortir de la classe.

Exercice 23. 1. a. Je vais à l'école pour prendre une leçon. b. J'arrive à l'école avant la leçon. c. Je frappe à la porte et entre dans la classe. d. Je ferme la porte et mets mon livre sur la table. e. Je prends une leçon d'espagnol. f. Je sors de la classe après la leçon. g. Je pars de l'école pour aller à la maison. h. À la maison, j'écoute ma cassette d'espagnol.

2. a. Vous allez à l'école pour prendre une leçon. b. Vous arrivez à l'école avant la leçon. c. Vous frappez à la porte et entrez dans la classe. d. Vous fermez la porte et mettez votre livre sur la table. e. Vous prenez une leçon d'espagnol. f. Vous sortez de la classe après la leçon. g. Vous partez de l'école pour aller à la maison. h. À la maison, vous écoutez votre cassette d'espagnol.

Exercice 24. 1. Le train part-il à neuf heures? À quelle heure part le train? 2. Va-t-il à la gare pour prendre le train? Pourquoi va-t-il à la gare? 3. Monsieur Duval sort-il de la maison? D'où sort Monsieur Duval? 4. Arrive-t-il à la gare avant le départ du train? Quand arrive-t-il à la gare? 5. Fume-t-il dans le train? Qu'est-ce qu'il fait dans le train?

Exercice 25. 1. Sept et neuf font seize. 2. Trois fois sept font vingt-et-un. 3. Quatre-vingt-onze et quatorze font cent cinq. 4. Quatre-vingt-dix-neuf moins vingt-trois font soixante-seize. 5. Neuf fois neuf font quatre-vingt-un. 6. Vingt-et-un et soixante-neuf font quatre-vingt-dix. 7. Sept fois dix font soixante-dix. 8. Cent trois moins douze font quatre-vingt-onze. 9. Quatre-vingts moins neuf font soixante-et-onze. 10. Huit fois onze font quatre-vingt-huit.

Exercice 26. 1. Les tables vertes sont petites. 2. Les stylos jaunes sont courts. 3. Les cravates rouges sont longues. 4. Les paquets bleus sont-ils grands? 5. Les boîtes noires sont-elles petites?

Exercice 27. 1. Il n'y a pas beaucoup de bicyclettes dans la rue. 2. Il n'y a pas d'argent dans ce sac. 3. Il n'y a pas de café dans cette tasse. 4. Il n'y a pas d'élèves dans cette classe. 5. Il n'y a pas d'École Berlitz dans cette ville.

Exercice 28. 1. Elles vont au bureau. 2. Elles prennent l'autobus. 3. Elles ont un journal.

4. Ce sont des journaux parisiens. 5. Les journaux ne coûtent pas cher. 6. Les bureaux n'ouvrent pas avant neuf heures. 7. Les secrétaires arrivent à neuf heures moins dix. 8. Les portes sont fermées à clé. 9. Les secrétaires ont une clé. 10. Elles ouvrent la porte et entrent.

Exercice 29. 1. . . . j'ai une voiture française. . . . je n'ai pas de voiture française. 2. . . . elle a une leçon aujourd'hui. . . . elle n'a pas de leçon aujourd'hui. 3. . . . vous avez un manteau noir. . . . vous n'avez pas de manteau noir. 4. . . . nous avons un journal anglais. . . . nous n'avons pas de journal anglais. 5. . . . j'ai des enfants. . . . je n'ai pas d'enfants.

Exercice 30. 1. Non, il ne prend pas de bière. 2. Il prend un café. 3. Marie est avec lui au café. 4. Elle prend son café avec du sucre. 5. Il y a un bon film au Palais Berlitz. 6. Oui, elle va au cinéma avec Pierre. 7. Non, ils ne vont pas au cinéma en autobus. 8. Ils vont au cinéma à pied. 9. Il est fermé. 10. Il ouvre à deux heures et demie. 11. Oui, ils reviennent au cinéma. 12. Ils reviennent dans une heure et demie.

Exercice 31. parents, enfants, le mari, le père, la femme, la mère, les enfants, la fille, le fils, la soeur, le frère.

Exercice 32. 1. Oui, la famille Latour a la télévision. 2. Oui, ils regardent la télévision en ce moment. 3. Oui, ils ont des enfants. 4. Ils ont deux enfants. 5. Ils ont une fille. 6. Non, elle n'a pas deux frères. 7. Elle a un frère. 8. Jacqueline est assise. 9. Elle est assise à côté de son frère, entre son père et sa mère. 10. Il y a deux chaises.

Exercice 33. 1. Elle est courte. 2. Il est debout. 3. Il est là. 4. Il arrive avant la leçon. 5. C'est ma main droite. 6. Ils sont devant la gare. 7. Vous fermez la fenêtre. 8. Il est sous la chaise. 9. Elle sort du bureau à cinq heures. 10. Il part à sept heures.

Exercice 34. 1. Oui, je l'écris. 2. Oui, je les écris dans mon livre. 3. Non, je ne l'apprends pas. 4. Non, je ne le lis pas en classe. 5. Je le lis à la maison.

Exercice 35. 1. Oui, il l'ouvre. Non, il ne l'ouvre pas. 2. Oui, je le mets sur la table. Non, je ne le mets pas sur la table. 3. Oui, vous la fermez. Non, vous ne la fermez pas. 4. Oui, nous les prenons. Non, nous ne les prenons pas. 5. Oui, elle les écoute. Non, elle ne les écoute pas.

Exercice 36. *dire,* dis, dites, dit, disons, disent, Dites!
apprendre, *apprends,* apprenez, apprend, apprenons, apprennent, Apprenez!
répondre, réponds, *répondez,* répond, répondons, répondent, Répondez!
écrire, écris, écrivez, *écrit,* écrivons, écrivent, Écrivez!
lire, lis, lisez, lit, *lisons,* lisent, Lisez!
mettre, mets, mettez, met, mettons, *mettent,* Mettez!
répéter, répète, répétez, répète, répétons, répètent, *Répétez!*

être, suis, êtes, est, sommes, sont, Soyez!
aller, *vais*, allez, va, allons, vont, Allez!
venir, viens, *venez*, vient, venons, viennent, Venez!
avoir, ai, avez, *a*, avons, ont, Ayez!
faire, fais, faites, fait, *faisons*, font, Faites!
ouvrir, ouvre, ouvrez, ouvre, ouvrons, *ouvrent*, Ouvrez!
parler, parle, parlez, parle, parlons, parlent, *Parlez!*

Exercice 37. 1. Ils n'ont pas écrit en classe. 2. Vous avez regardé la télévision. 3. Il a ouvert une bouteille de vin. 4. Nous n'avons pas écouté la bande numéro dix. 5. Ils ont répondu au professeur. 6. Nous n'avons pas fermé la porte. 7. Elle n'a pas mis de manteau. 8. J'ai appris beaucoup de mots français. 9. Il a lu un article sur la politique. 10. Je n'ai pas pris le train pour aller à la maison.

Exercice 38. a. *Hier, Monsieur Duval a pris* le métro à huit heures pour aller au bureau. Au bureau il a dit « Bonjour » à sa secrétaire, et il a lu les télégrammes. Ensuite, il a regardé un peu le journal, il a parlé au téléphone, il a ouvert sa correspondance et il a écrit les réponses. (Il a répondu en français.)

b. *Hier, j'ai* pris le métro à huit heures pour aller au bureau. Au bureau j'ai dit « Bonjour » à ma secrétaire, et j'ai lu les télégrammes. Ensuite, j'ai regardé un peu le journal, j'ai parlé au téléphone, j'ai ouvert ma correspondance et j'ai écrit les réponses. (J'ai répondu en français.)

Exercice 39. 1. e 2. d 3. h 4. f 5. g 6. b 7. a

Exercice 40. 1. Il y a deux personnes sur cette illustration. 2. Il n'y a pas d'enfants. 3. Personne n'est assis derrière l'élève. 4. Oui, quelqu'un est assis devant elle. 5. Oui, elle parle à quelqu'un. 6. Elle parle au professeur. 7. Oui, il a quelque chose dans la main. 8. Il a un livre dans la main. 9. Oui, elle pose beaucoup de questions. 10. Elle apprend le français.

Exercice 41. A. 1. Je ne mets rien dans mon café. 2. Il n'y a personne à la porte. 3. Vous n'avez parlé à personne. 4. Il n'y a rien d'intéressant dans cet article. 5. Monsieur Duval n'a rien dit à sa femme.

B. 1. Est-ce que vous avez compris quelque chose? 2. Est-ce que quelqu'un arrive? 3. Est-ce qu'il y a quelque chose à faire dans cette ville? 4. Est-ce que Marie téléphone à quelqu'un? 5. Est-ce que nous avons dit quelque chose à quelqu'un?

Exercice 42. 1. C'est le bureau de Monsieur Duval. 2. Il est au deuxième étage. 3. C'est Mademoiselle Simon, la secrétaire de Monsieur Duval. 4. Elle est assise. 5. Elle est assise devant une machine à écrire. 6. Elle écrit une lettre. 7. Monsieur Duval ouvre la porte. 8. Il parle à sa secrétaire. 9. Il fume une cigarette. 10. Non, elle ne fume pas.

Exercice 43. 1. Il y a quatre étages. 2. Il est au deuxième étage. 3. Non, il n'est pas au deuxième étage. 4. Il est au rez-de-chaussée. 5. Il est au troisième étage. 6. Elle est au deuxième étage. 7. Il est au premier étage. 8. Il est au premier étage.

Exercice 44. 1. On va à l'aéroport pour prendre l'avion. 2. L'avion part de l'aéroport. 3. On prend le train à la gare. 4. Je vais à l'école pour apprendre le français. 5. Je sors de l'école après la leçon. 6. Je vais au garage pour prendre ma voiture. 7. Nous allons au bureau pour travailler. 8. Nous sortons du bureau à cinq heures.

Exercice 45. 1. Je ne vais ni à l'école ni au bureau. Je vais au cinéma. 2. Elle ne coûte ni dix francs ni quinze francs. Elle coûte vingt francs. 3. Il n'est ni à Dijon ni à Lille. Il est à Paris. 4. Nous ne parlons ni allemand ni anglais en classe. Nous parlons français. 5. Je n'ai ni une Rolls Royce ni une Fiat. J'ai une Renault.

Exercice 46. 1. dans 2. entre 3. devant 4. derrière 5. sur 6. Sur 7. à 8. au 9. à, du 10. de

Exercice 47. Mlle Duval *est* la fille de M. et Mme Duval. M. et Mme Duval n'*ont* pas d'autres enfants. Ils *sont* français et Marie aussi *est* française. Vous n'*êtes* pas français, mais vous *avez* un professeur de français, n'est-ce pas? Votre professeur *a* des livres, mais il n'*a* pas de magnétophone. Moi non plus, je n'*ai* pas de magnétophone. Et vous? *Avez*-vous un magnétophone? Est-ce que vous *êtes* devant votre magnétophone maintenant?

Êtes-vous à la maison maintenant? Est-ce que vous *avez* un appartement ou *êtes*-vous à l'hôtel? Comment *est* votre appartement? Combien de pièces *avez*-vous? À quel étage *est* votre appartement? Ma famille et moi, nous *sommes* au cinquième et il n'y *a* pas d'ascenseur!

Exercice 48. A. 1. de la 2. du 3. de la 4. de l' 5. du 6. de l' 7. de la 8. du 9. du 10. de l'

B. 1. de la 2. de, des 3. de, de 4. de 5. de l'

C. 1. à la 2. au 3. à l' 4. à l' 5. à l' 6. à l' 7. à la 8. au 9. à la 10. au

Exercice 49. 1. Elle va au quatrième étage. 2. Non, elle ne prend pas l'escalier. 3. Elle prend l'ascenseur. 4. Il y a un consulat au quatrième. 5. Elle va au consulat pour avoir son passeport. 6. Elle habite à Paris. 7. Elle va au Canada. 8. Elle va à Montréal. 9. Elle part mardi. 10. Oui, elle a de la famille au Canada.

Exercice 50. 1. avez écouté 2. a répété 3. n'avons pas posé 4. a regardé 5. avez répondu 6. avez lu 7. ont lu 8. n'ai pas écrit 9. n'a pas ouvert 10. a écrit

Exercice 51. A. 1 a. L'élève fume-t-il? b. Est-ce que l'élève fume? 2 a. Suis-je l'élève? b. Est-ce que je suis l'élève? 3 a. Est-il quatre heures? b. Est-ce qu'il est quatre heures? 4 a. La table est-elle grise? b. Est-ce que la table est grise? 5 a. Le journal est-il sur la table? b. Est-ce que le journal est sur la table? 6 a. Vient-il du théâtre? b. Est-ce qu'il vient du théâtre?

B. 1. Nous l'ouvrons. 2. Je la mets dans la poche. 3. Elle ne le regarde pas. 4. Je les prends. 5. Elle les ferme. 6. Elle le dit. 7. Elle les fume. 8. Elle les lit. 9. Elle les a sur la table. 10. Elle le prend.

Exercice 52. 1. votre 2. mes 3. mes 4. mon 5. son 6. sa 7. son 8. ses 9. leur 10. notre, nos

Exercice 53. A. 1. Il commence par la lettre *A*. 2. Il finit par la lettre *Z*. 3. C'est la lettre *J*. 4. Ce sont les lettres *A, O, U*. 5. Oui, ils commencent par trois chiffres à Paris. 6. Non, elle ne commence pas par le mois de février. 7. Elle commence par le mois de janvier. 8. Il y a douze mois dans une année. 9. Ce sont : janvier, février, mars, avril, mai, juin, juillet, août, septembre, octobre, novembre, décembre. 10. lundi, mardi, mercredi, jeudi, vendredi, samedi, dimanche.

B. 1. Je n'ai rien mis sur le plancher. 2. Il n'a écouté personne. 3. Elle n'a rien regardé à la télévision. 4. Ils n'ont rien compris. 5. Je n'ai rien écrit. 6. Nous n'avons rien dit au garçon. 7. Nous n'avons parlé à personne. 8. . . . n'ai rien répondu. 9. Il n'y a rien eu dans la rue. 10. Il n'y a rien eu d'intéressant dans cet exercice.

Exercice 54. 1. J'habite dans un hôtel. 2. Le concierge habite au rez-de-chaussée. 3. Mon frère habite à Bruxelles. 4. Vous habitez aux États-Unis. 5. Le directeur de notre compagnie habite en Suisse. 6. La soeur de ma secrétaire habite à Montréal. 7. M. Latour et sa femme habitent dans un petit appartement. 8. Les Leblanc habitent au quatrième étage. 9. Nous habitons en France. 10. Mes parents habitent dans une petite ville.

Exercice 55. 1. Non, elle n'a pas parlé avec moi. 2. Elle a parlé avec l'épicier. 3. Elle a demandé du lait. 4. Oui, il a mis le lait dans un paquet. 5. Oui, il lui a donné quelque chose d'autre. 6. Il lui a donné du fromage blanc et un kilo de sucre. 7. Oui, elle lui a dit au revoir. 8. Oui, elle a ouvert le paquet à la maison. 9. Non, ce n'était pas le bon paquet. 10. Oui, elle a pris le paquet de quelqu'un d'autre.

Exercice 56. A. 1. Elle, lui 2. Il, elle 3. elle, lui 4. Il, elle 5. lui 6. lui 7. Il 8. Il, lui 9. elle 10. Il, lui

B. 1. lui 2. leur 3. lui 4. leur 5. lui

C. 1. . . . vous apporte un café. 2. . . . m'apporte un café aussi. 3. . . . nous apporte deux cafés. 4. . . . vous donne mon nom. 5. . . . me donnez votre nom. 6. . . . ne me donnez pas votre passeport. 7. . . . ne vous écrit pas de lettre. 8. . . . ne vous écrit pas de carte postale.

D. 1. Que 2. À qui 3. Que 4. Qui 5. À qui 6. Qui 7. À qui 8. Que

E. 1. plus de, que 2. moins d', que 3. moins de, que 4. autant de, que 5. autant de, qu' 6. moins de, qu'

Exercice 57. 1. Il vient à neuf heures et demie. 2. Il a le courrier dans son sac. 3. Oui, il y a quelque chose pour M. Lebrun. 4. Il y a une enveloppe avec beaucoup de timbres du Canada pour Mme Lebrun. 5. C'est une lettre de sa fille. 6. Elle est à Québec. 7. Il y a un journal pour les Duval. 8. Non, il n'y a rien pour vous. 9. Vous attendez une lettre de Belgique. 10. Non, il n'a pas le temps de vous écouter.

Exercice 58. B. 1. Hier Pierre est allé au bureau de Marie. 2. Hier Marie est entrée avant lui. 3. Hier Pierre et Marie sont restés au bureau. 4. Hier les deux directeurs sont arrivés ensemble. 5. Hier M. Dupont n'est pas resté dans sa voiture. 6. Hier

Mme Dubois est descendue de l'autobus. 7. Hier elle a pris l'ascenseur et elle est montée au troisième. 8. Hier elle est entrée chez elle. 9. Hier mes deux sœurs sont sorties de l'appartement. 10. Hier elles sont descendues dans la rue. 11. Hier elles sont parties de la maison à huit heures. 12. Hier M. et Mme Dubois sont allés dans la rue. 13. Hier ils sont venus à l'école. 14. Hier le professeur est venu à l'école avant M. et Mme Dubois. 15. Hier Pierre est arrivé après le professeur.

C. 1. La carte y est. 2. Nous y sommes. 3. Le calendrier y est. 4. Vous y attendez le professeur. 5. En général, elle y achète ses chapeaux. 6. Elle y a acheté cette petite robe. 4. Elle y est arrivée en 1970. 8. J'y suis allé pour écouter de la musique de Chopin. 9. Nous y avons attendu quelqu'un. 10. Il n'y est pas resté plus de dix minutes.

Exercice 59. A. 1. Nous en buvons. 2. Nous en mangeons. 3. Vous en achetez. 4. Ils en fument. 5. MM. Dupont et Duval en lisent dans le journal. 6. Nous en buvons peu. 7. Vous en mangez peu. 8. MM. Dupont et Duval en lisent beaucoup. 9. Marie en prend deux tasses. 10. Elle en achète deux kilos. 11. Ils en fument trois paquets. 12. Vous en avez écouté vingt. 13. Nous en avons envoyé beaucoup. 14. Marie en a acheté Place de la Madeleine. 15. Elle en met sur la table. 16. Elle va en chercher à l'épicerie.

B. 1. Je ne vous entends pas parler. 2. Catherine ne le voit pas sortir. 3. Je ne les entends pas chanter. 4. Le directeur ne nous voit pas travailler. 5. Elles ne me regardent pas manger. 6. Vous ne m'entendez pas répondre au téléphone. 7. Ils ne vous écoutent pas chanter. 8. Vous ne nous voyez pas venir. 9. Nous ne vous écoutons pas prononcer les mots. 10. Je ne la regarde pas travailler.

C. 1. Vous m'avez entendu parler. 2. Éric l'a vu sortir. 3. Elles m'ont entendu chanter. 4. Nous l'avons vu travailler. 5. Je l'ai regardé manger. 6. Je vous ai entendu répondre au téléphone. 7. Vous l'avez écouté chanter. 8. On vous a vu venir. 9. Vous l'avez écouté prononcer les mots. 10. Annie m'a regardé travailler.

Exercice 60. A. 1. Non, elle n'est pas dans le garage./Non, elle n'y est pas. 2. C'est sa femme qui a pris la voiture. 3. Non, elle n'est pas allée à la station de métro./Non, elle n'y est pas allée. 4. Il attend le métro pendant vingt minutes./Il l'attend pendant vingt minutes. 5. Il arrive au bureau à neuf heures et demie./Il y arrive à neuf heures et demie. 6. Non, il n'y a personne. 7. Oui, c'est un jour de fête en France. 8. Non, on ne travaille pas le 1er mai. 9. Il sort pour aller au café. 10. Non, il ne demande pas de bouteille de champagne au garçon./Non, il ne lui demande pas de bouteille de champagne. 11. Il lui demande un verre d'eau et deux aspirines.

B. 1. M. Smith est allé au garage. 2. Sa femme a pris la voiture. 3. Le métro n'est pas arrivé. 4. Il a attendu vingt minutes. 5. Il a regardé son calendrier. 6. Personne n'a travaillé au bureau. 7. Il est allé dans la rue. 8. Il est entré dans un café. 9. Il a pris un apéritif. 10. Il n'y a pas mis d'aspirine.

C. 1. Oui, je vous ai parlé. 2. Non, nous ne lui avons pas parlé en italien. 3. Oui, vous lui avez téléphoné. 4. Oui, vous leur avez dit au revoir. 5. Non, je ne leur ai pas envoyé de paquet. 6. Oui, ils m'ont écrit une carte postale. 7. Non, il ne m'a pas acheté de montre. 8. Oui, vous m'avez lu cet article. 9. Oui, nous lui avons donné de l'argent. 10. Oui, je vous ai compris.

Exercice 61. A. 1. Non, il n'a pas très faim. 2. Oui, il a soif. 3. Il demande un Coca. 4. Il préfère le vin. 5. Oui, il est bon en France. 6. On commence le repas par les hors-d'œuvre./On le commence par les hors-d'œuvre. 7. Ensuite vient un plat de viande ou de poisson avec des légumes. 8. On termine par un fromage ou un dessert. 9. Non, on ne prend pas de café au lait avec le dessert./Non, on n'en prend pas avec le dessert. 10. Oui, il est différent du déjeuner américain.

B. 1. En France, on boit du café au lait au petit déjeuner. 2. Oui, on mange du pain beurré./Oui, on en mange. 3. Au petit déjeuner, on mange moins qu'en Amérique. 4. Non, on ne va pas acheter le pain à la boucherie./Non, on ne va pas l'acheter à la boucherie. 5. On va y acheter la viande. 6. On va chercher le pain à la boulangerie./On va le chercher à la boulangerie. 7. Oui, il a une bonne odeur. 8. Oui, il est bon. 9. Non, je ne mange pas de pain avec la soupe./Non, je n'en mange pas avec la soupe. 10. Oui, je mange du pain avec le fromage./Oui, j'en mange avec le fromage.

Exercice 62. 1. Oui, c'est un vin français. 2. Il apporte l'addition après le repas. 3. Oui, il paie plus de trente francs. 4. Il paie quarante francs. 5. Non, ce n'est pas un cinéma. 6. Non, ce n'est pas loin du restaurant. 7. Oui, elle dit qu'il lui fait tourner la tête. 8. Oui, il fait aussi tourner la tête. 9. Marie aime danser. 10. Oui, pour terminer la soirée, ils vont au Zoum-Zoum./Oui, pour terminer la soirée, ils y vont.

Exercice 63. A. 1. parlerai 2. prendrez 3. sortira 4. viendrons 5. irons 6. ira 7. aura 8. verra 9. verra 10. seront

B. 1. Cette année, j'y habite. 2. L'année dernière, j'y ai habité. 3. L'année prochaine, j'y habiterai. 4. Demain, vous y monterez. 5. Juliette y sera avant nous. 6. Nous y descendrons en septembre. 7. On y attendra mes amis. 8. Ils y liront un article sur le Président. 9. Nous y verrons un film. 10. Les enfants de Mme Berger n'y seront pas jeudi.

Exercice 64. A. 1. Je veux y aller. 2. Annette peut y rester. 3. Nous voulons y dîner. 4. Jean veut y prendre un verre. 5. Vous devez y mettre le menu. 6. Nous pouvons y attendre un taxi. 7. Je suis obligé d'y rester. 8. François doit y venir à huit heures. 9. Nous sommes obligés d'y envoyer une lettre. 10. M. et Mme Lanou veulent y écouter Maria Callas.

B. 1. Je dois en prendre. 2. Nous voulons en écouter. 3. Simone peut en manger. 4. Vous devez en mettre dans le café. 5. Ils peuvent en acheter. 6. J'ai besoin d'en faire beaucoup. 7. Nous devons en commander trois. 8. Mlle Lefèvre veut en apporter douze. 9. Je ne peux pas en donner. 10. Vous n'avez pas besoin d'en parler.

C. 1. Je veux les mettre dans ma poche. 2. Paul veut le mettre sur la table. 3. Brigitte peut le prendre à six heures. 4. M. Biraud ne peut pas le prendre à la Gare de l'Est.

5. J'ai besoin de le voir. 6. Nous devons les écouter. 7. Vous ne pouvez pas la regarder ici. 8. Ils veulent les lire. 9. Odile n'a pas besoin de l'acheter. 10. Elles doivent les envoyer à leurs amis.

Exercice 65. A. 1. Je vais sortir avec une amie. 2. Vous allez ouvrir la porte. 3. Jules va descendre dans la rue. 4. Il va aller dans un magasin. 5. Nous allons demander quelque chose à boire. 6. M. et Mme Martin vont payer à la caisse. 7. Ils vont prendre leurs paquets. 8. Je vais venir avec vous. 9. Vous allez entrer la première. 10. Elle va voir ses parents.

B. 1. Je viens de sortir avec une amie. 2. Vous venez d'ouvrir la porte. 3. Alain vient de descendre dans la rue. 4. Danielle vient de monter au quatrième. 5. Nous venons de demander quelque chose à boire. 6. M. et Mme Martin viennent de payer à la caisse. 7. Ils viennent de prendre leurs paquets. 8. Je viens d'arriver avec Françoise. 9. Vous venez d'entrer dans le plus beau cinéma de la ville. 10. Jeanne vient de voir ses parents.

Exercice 66. A. 1. C'est Pierre qui va chercher Marie à la sortie du bureau./C'est Pierre qui va la chercher à la sortie du bureau. 2. Non, elle ne veut pas parler de son travail./Non, elle ne veut pas en parler. 3. Parce que Marie n'a pas faim. 4. Non, elle ne veut pas aller dans un café. 5. Elle doit rentrer chez elle avant huit heures./Elle doit y rentrer avant huit heures. 6. Oui, elle peut aller voir un film ce soir-là./Oui, elle peut aller en voir un ce soir-là. 7. Ses parents l'attendent à la maison. 8. Oui, on doit attendre avant d'acheter les billets./Oui, on doit attendre avant de les acheter. 9. Non, en général, il n'y a pas de concerts l'après-midi./Non, en général, il n'y en a pas l'après-midi. 10. Non, ils ne vont pas voir un film allemand.

Exercice 67. A. 1. Il n'a pas dû arriver à l'heure. 2. Je n'ai pas eu besoin de mon passeport. 3. Nous n'avons pas dû le donner à la secrétaire. 4. Elles n'ont pas pu répondre au téléphone. 5. Nous n'avons pas eu besoin d'argent. 6. Vous n'avez pas eu besoin de billet d'avion. 7. Vous n'avez pas dû parler français. 8. Le petit garçon n'a pas dû avoir faim. 9. Jacques n'a pas pu monter en cinq minutes. 10. Madeleine n'a pas pu descendre en cinq minutes.

B. 1. Valérie a dû dîner avec Benjamin. 2. Ils ont dû être ensemble. 3. Le garçon a dû apporter l'addition. 4. J'ai dû lui laisser quelque chose. 5. Vous avez eu besoin de cinquante centimes. 6. Nicole a pu venir chez moi. 7. Nous avons pu aller chez lui. 8. Vous avez pu y aller sans moi. 9. J'ai pu sortir après six heures. 10. M. et Mme Duval ont voulu déjeuner avec nous.

C. 1. Non, on ne peut pas fumer dans les cinémas en France. 2. Non, je ne peux pas couper un bifteck sans couteau. 3. Non, nous ne pouvons pas écrire de lettre sans avoir de papier. 4. Oui, elle reçoit beaucoup de lettres au bureau./Oui, elle en reçoit beaucoup au bureau. 5. Non, ils ne peuvent pas faire cet exercice sans lire les questions./Non, ils ne peuvent pas le faire sans lire les questions. 6. Non, quand je sors de chez moi, je ne laisse pas la porte ouverte derrière moi./Non, quand je sors de chez moi, je ne la laisse pas ouverte derrière moi. 7. Non, vous ne pouvez pas parler sans ouvrir la bouche. 8. Je préfère monter au septième étage par l'ascenseur./Je préfère y monter par l'ascenseur. 9. Non, je ne chante pas dans la classe. 10. Non, il ne chante pas à l'Opéra.

D. 1. J'aurai besoin de ces documents. 2. Mes amis ne pourront pas venir me voir. 3. Combien devrons-nous payer? 4. À quelle heure pourra-t-on entrer? 5. Je ne pourrai pas téléphoner avant six heures. 6. Vous devrez prendre l'avion pour y aller. 7. Nous serons obligés de travailler jusqu'à dix heures. 8. Quand est-ce que je devrai arriver? 9. Vous pourrez venir quand vous voudrez. 10. Aurons-nous besoin de nos passeports?

Exercice 68. 1. fermer 2. commencer 3. monter 4. décrocher 5. court 6. petit 7. mauvais 8. dernier 9. bon marché 10. libre 11. sous 12. derrière 13. loin de 14. moins 15. peu 16. longtemps 17. réponse 18. à gauche 19. rien 20. personne

Exercice 69. 1. Il demande le numéro de téléphone de M. Dubois à la téléphoniste./Il le demande à la téléphoniste. 2. Son adresse est 8 boulevard Pasteur, à Paris. 3. Oui, elle lui demande d'attendre. 4. Non, elle ne lui demande pas d'attendre une heure. 5. Parce que quelqu'un frappe à la porte. 6. Il lui téléphone de la part de son père. 7. Non, il ne viendra pas lundi prochain. 8. Il doit aller à l'aéroport, lundi soir. 9. Oui, ils raccrochent quand ils ont fini de parler. 10. Non, ils n'ont pas parlé longtemps au téléphone.

Exercice 70. 1. Il est dix heures quand il arrive au travail. 2. On commence à travailler à huit heures et demie dans son bureau. 3. Non, il n'est pas allé au bureau à pied. 4. Il y est allé en taxi. 5. Oui, en général, il prend sa voiture le matin./Oui, en général, il la prend le matin. 6. Son fils a pris sa voiture ce matin-là. 7. Oui, d'abord il a voulu prendre l'autobus. 8. Il a attendu un quart d'heure à l'arrêt d'autobus. 9. Ensuite, il est allé appeler un taxi. 10. Oui, il lui demande de se mettre vite au travail.

Exercice 71. 1. Je me réveille quand j'entends sonner mon réveil. 2. Joseph se réveille quand il entend sonner son réveil. 3. Nous nous réveillons quand nous entendons sonner notre réveil. 4. M. et Mme Pignot se réveillent quand ils entendent sonner leur réveil. 5. Marie et sa sœur se réveillent quand elles entendent sonner leur réveil. 6. Lucie a entendu sonner le réveil et elle s'est levée. 7. M. et Mme Montfort ont entendu sonner le réveil et ils se sont levés. 8. Vous avez entendu sonner le réveil et vous vous êtes levé. 9. Gaston et son frère ont entendu sonner le réveil et ils se sont levés. 10. Nous avons entendu sonner le réveil et nous nous sommes levés.

Exercice 72. 1. Oui, il est déjà arrivé. 2. Non, il n'a pas encore commencé à parler. 3. Oui, elle est déjà entrée dans la cabine. 4. Non, elle n'a pas encore fini de parler. 5. Oui, il a déjà attendu dix minutes. 6. Non, il n'a pas encore attendu vingt minutes. 7. Oui, elle a déjà fait le numéro. 8. Non, elle n'a pas encore raccroché. 9. Non, elle n'est pas encore sortie de la cabine. 10. Non, il n'est pas encore entré. 11. Oui, il a déjà attendu longtemps. 12. Non, il n'a pas encore décroché.

Exercice 73. A. 1. Il est une heure. 2. Il est deux heures dix. 3. Il est quatre heures et quart. 4. Il est cinq heures et demie. 5. Il est six heures moins vingt-cinq. 6. Il est sept heures moins le quart. 7. Il est huit heures moins dix. 8. Il est midi. 9. Il est midi et quart. 10. Il est minuit.

B. 1. Combien de temps 2. Comment 3. À quelle heure 4. Comment 5. À quelle heure 6. combien de temps 7. À quelle heure 8. Combien de temps 9. À quelle heure 10. à quelle heure

C. 1. Il sort de chez lui à huit heures et demie. 2. Il arrive à la banque à neuf heures moins dix. 3. Elle est fermée. 4. Elle ouvre à neuf heures. 5. Elle ferme à seize heures. 6. Elle reste ouverte pendant sept heures. 7. Il attend dans la rue de neuf heures moins dix à neuf heures. 8. Il sort de la banque à neuf heures vingt./Il en sort à neuf heures vingt. 9. Il est resté à la banque pendant vingt minutes. 10. Il est neuf heures vingt-cinq quand il prend l'autobus.

Exercice 74. 1. Oui, ils sont plus chers que les billets de cinéma. 2. Non, il n'est pas très cher en France. 3. Oui, il est aussi bon marché. 4. Oui, il est plus cher que le vin. 5. Oui, elles sont plus grandes que les voitures françaises. 6. Non, elles ne sont pas meilleur marché que les Renault. 7. Paris est plus grand que Deauville. 8. Oui, il est plus long que le boulevard Pasteur. 9. Oui, elle est plus longue que le boulevard Pasteur. 10. Ils sont plus larges que la rue Champollion.

Exercice 75. 1. Mes mouchoirs sont dans la valise avec les siens. 2. Mon pull est en laine. En quoi est le sien? 3. Votre enveloppe est sur le bureau, à côté des siennes. 4. Notre appartement est petit. Comment est le leur? 5. Notre voiture est jaune citron. De quelle couleur est la leur? 6. J'ai demandé mon billet d'avion et mes amis Éric et Jeanine ont demandé les leurs. 7. Leur salle de séjour est moins bien que la nôtre. 8. Cette bague en or est plus chère que la sienne. 9. Vos bijoux sont dans la boîte; mais où sont les nôtres? 10. Vos valises et les nôtres sont dans la chambre. 11. Si vous n'avez pas de chapeau, vous pouvez prendre le mien. 12. Leur appartement est aussi petit que le mien. 13. J'ai pris son numéro de téléphone et elle a pris le mien. 14. Si vous n'avez pas d'autre adresse, je vous donnerai la mienne. 15. Votre voiture va plus vite que la leur. 16. Marguerite n'a pas de montre. Elle a pris la mienne. 17. Votre femme est dans le living-room. Elle parle avec la mienne. 18. Je n'ai pas vu les parents de Christine; j'ai vu les miens. 19. Mes cheveux sont aussi longs que les vôtres. 20. Avant de boire cet apéritif, dites « à votre santé » et moi, je dirai « à la vôtre »!

Exercice 76. 1. C'est Pierre qui vient d'acheter ce poste de télévision./C'est Pierre qui vient de l'acheter. 2. Oui, il marche bien. 3. Il dit « bonne nuit ». 4. C'est l'Office de la Radiodiffusion Télévision Française. 5. Non, en France, il n'y a rien à la télévision après minuit. 6. Il doit se lever tôt. 7. Oui, elle a sommeil. 8. Il lui dit « bonne nuit » avant d'aller se coucher. 9. Oui, je dis « bonne nuit » aussi avant d'aller me coucher. 10. Oui, en général, le soir on dit « bonsoir ».

Exercice 77. A. 1. Oui, à Paris il s'arrête à une heure du matin. 2. Oui, je m'arrête quelquefois devant les vitrines des magasins. 3. Oui, à Noël, beaucoup de gens s'arrêtent pour regarder les vitrines des magasins. 4. Oui, si je regarde la télévision chez moi, je l'éteins avant de me coucher. 5. Oui, quand on va à l'Opéra, on doit arriver à l'heure.

B. 1. La voiture ne s'arrête pas au carrefour. 2. Je ne m'arrête pas derrière elle. 3. M. Smith n'aime pas marcher dans Paris. 4. Il ne reste pas des heures et des heures assis devant le Sacré-Cœur. 5. Ce n'est pas un touriste.

C. 1. Mes parents se sont réveillés avant moi. 2. Ma sœur s'est réveillée dix minutes plus tard. 3. Ma famille s'est levée tôt. 4. On s'est lavé avec de l'eau chaude. 5. Mon père et moi, nous nous sommes rasés dans la salle de bains. 6. Mes sœurs se sont habillées dans leur chambre. 7. Moi, je me suis habillé dans la mienne. 8. On a travaillé pendant la journée, on s'est reposé pendant la nuit. 9. Mes sœurs ne se sont pas coiffées pendant le petit déjeuner. 10. Enfin, nous nous sommes levés et nous sommes sortis.

D. 1. Je me suis brûlé avec une cigarette. 2. Vous vous êtes brûlé avec une cigarette. 3. Marie s'est brûlée avec une cigarette. 4. Nous nous sommes brûlés avec une cigarette. 5. Ils se sont brûlés avec une cigarette. 6. Pierre et Marie se sont brûlés avec une cigarette.

E. 1. Oui, pendant la leçon, il demande à l'élève de parler./Oui, pendant la leçon, il lui demande de parler. 2. Oui, il fait parler l'élève pendant la leçon./Oui, il le fait parler pendant la leçon. 3. Oui, il lui fait répéter les mots difficiles. 4. Oui, il lui fait poser des questions sur les mots nouveaux. 5. Oui, il fait travailler sa secrétaire./Oui, il la fait travailler. 6. Oui, il lui fait écrire des lettres.

Exercice 78. A. 1. Oui, il parle toujours français pendant la leçon. 2. Oui, il les pose toujours en français. 3. Oui, je l'écoute toujours avant de lui répondre. 4. Oui, je lui dis toujours « bonjour » avant la leçon. 5. Oui, je lui dis toujours « au revoir » avant de partir.

B. 1. Non, il ne parle jamais chinois. 2. Non, il ne dort jamais dans la classe. 3. Non, je ne la regarde jamais dans la classe. 4. Non, je ne l'écoute jamais dans la classe. 5. Non, je ne bois jamais de whisky au petit déjeuner.

Exercice 79. 1ère dictée

Le matin, je me lève tôt parce que mon bureau est loin de chez moi. Je prends mon petit déjeuner. À sept heures et demie, je sors de mon appartement et je vais au bureau. J'y reste jusqu'à cinq heures, et ensuite je retourne à la maison en autobus. Je me repose un peu. Plus tard, je dîne avec ma femme et mes enfants. À onze heures, nous sommes fatigués et nous nous couchons.

Exercice 80. 1. C'est Marie qui vient voir Mme Degean./C'est Marie qui vient la voir. 2. Non, il ne fait pas trop froid chez elle. 3. Non, elle ne veut pas boire un verre de cognac. 4. Elle veut boire un grand verre d'eau. 5. C'est Pauline qui doit apporter un verre d'eau./C'est Pauline qui doit en apporter un. 6. Elle travaille à la cuisine. 7. Oui, elle fait des gâteaux chez elle./Oui, elle en fait chez elle. 8. Elle en a fait un ce matin. 9. Parce qu'elle l'a mangé. 10. Oui, elle aime les gâteaux que fait Mme Degean./Oui, elle les aime.

Exercice 81. A. 1. Les Durand n'ont qu'un enfant. 2. Il n'y a qu'une fille dans notre famille. 3. Nous n'écoutons que de la musique classique. 4. Marthe n'a dormi que cinq heures. 5. Yves ne viendra que l'été prochain. 6. Cette cravate ne coûte que quinze francs. 7. La femme de chambre n'a repassé que les chemises. 8. Je n'ai fait nettoyer que mon costume gris. 9. Denise ne s'habille que chez Christian Dior. 10. Christophe ne se repose que le dimanche.

B. 1. depuis 2. dans 3. depuis 4. depuis 5. dans 6. Depuis 7. depuis 8. Depuis 9. dans 10. dans

C. 1. Nous irons à la montagne. 2. Nous irons y passer une semaine. 3. Nous louerons des skis pour une semaine. 4. Nous ferons du ski. 5. Nous nous amuserons beaucoup.

Exercice 82. 1. C'est le 25 décembre. 2. Oui, ils reçoivent beaucoup de cadeaux à Noël./Oui, ils en reçoivent beaucoup à Noël. 3. C'est le 1er janvier. 4. Oui, la veille du Jour de l'An, on voit beaucoup de gens dans les rues, les magasins, etc./Oui, la veille du Jour de l'An, on en voit beaucoup dans les rues, les magasins, etc. 5. Oui, pendant les fêtes, il y a beaucoup de monde partout. 6. Oui, ils prennent presque toujours leurs vacances en été./Oui, ils les prennent presque toujours en été. 7. Oui, ils les prennent aussi quelquefois en hiver. 8. Non, il ne neige pas toujours à Noël. 9. Oui, on peut faire du ski en Suisse./Oui, on peut en faire en Suisse. 10. Je préfère la neige à la montagne./Je la préfère à la montagne.

Exercice 83. 2ème dictée

Nous avons une grande cuisine et nous pouvons y prendre nos repas. Mais ma femme et moi, nous travaillons pendant la journée. Alors, nous dînons au restaurant. Le garçon apporte le menu. Après le repas, il nous demande si nous voulons quelque chose d'autre. Ma femme prend un café et moi, un cognac. Enfin, je paye l'addition et nous sortons du restaurant.

Exercice 84. 1. Deauville est en France. 2. Non, Deauville n'est pas aussi grand que Paris. 3. Ils sont excellents. 4. Oui, il y a de merveilleuses boîtes de nuit. 5. Oui, elle est belle. 6. Oui, Deauville reçoit beaucoup de touristes./Oui, Deauville en reçoit beaucoup. 7. Ils viennent d'Allemagne, d'Angleterre, de Hollande, de Suisse, de Belgique, etc. 8. Non, il n'est pas bon d'aller à Deauville pour apprendre le français. 9. On parle l'anglais, l'allemand, le hollandais, etc. 10. Oui, c'est aussi une ville où beaucoup de gens vont passer leurs vacances.

Exercice 85. 1 a. Oui, je suis déjà allé à Chamonix. b. Non, je ne suis pas encore allé à Chamonix. c. Non, je ne suis jamais allé à Chamonix. 2 a. Oui, il a déjà travaillé comme garçon de café. b. Non, il n'a pas encore travaillé comme garçon de café. c. Non, il n'a jamais travaillé comme garçon de café. 3 a. Oui, nous sommes déjà descendus à l'hôtel Plaza-Athénée. b. Non, nous ne sommes pas encore descendus à l'hôtel Plaza-Athénée. c. Non, nous ne sommes jamais descendus à l'hôtel Plaza-Athénée. 4 a. Oui, ils ont déjà parlé à mes parents. b. Non, ils n'ont pas encore parlé à mes parents. c. Non, ils n'ont jamais parlé à mes parents. 5 a. Oui, il a déjà changé d'emploi. b. Non, il n'a pas encore changé d'emploi. c. Non, il n'a jamais changé d'emploi. 6 a. Oui, il a déjà neigé cette année. b. Non, il n'a pas encore neigé cette année. c. Non, il n'a jamais neigé cette année. 7 a. Oui, vous m'avez déjà souhaité un joyeux Noël. b. Non, vous ne m'avez pas encore souhaité un joyeux Noël. c. Non, vous ne m'avez jamais souhaité un joyeux Noël. 8 a. Oui, vous m'avez déjà souhaité une bonne année. b. Non, vous ne m'avez pas encore souhaité une bonne année. c. Non, vous ne m'avez jamais souhaité une bonne année.

B. 1. M. et Mme Martin n'ont pas encore fait leurs valises. 2. Ils ne sont pas encore arrivés à la Gare de l'Est. 3. Ils ne veulent rien boire. 4. Il n'y a personne qui les attend au restaurant. 5. Personne ne les a vus; personne ne va leur parler.

C. 1. Mme Martin a déjà acheté des médicaments pour son rhume. 2. Quelqu'un le fera pour elle. 3. Elle a déjà fini de dîner. 4. Elle a sorti quelque chose de son sac. 5. Elle donnera quelque chose au garçon.

Exercice 86. 3ème dictée

Hier, mes enfants sont allés au cinéma. Ils ont vu un bon film. Ensuite, ils sont revenus à la maison. Ils ont fait leurs exercices. À huit heures, ma femme, mes enfants et moi, nous avons dîné. Ensuite, nous avons regardé la télévision avant de nous coucher. Demain, nous nous lèverons tôt.

Exercice 87. A. 1. Nous sommes partis à neuf heures du matin, après avoir pris notre petit déjeuner. Nous avons pris des serviettes de bain. Nous avons fait des sandwiches au jambon et nous les avons mis dans notre sac de plage. Nous avons aussi acheté des boissons. Ensuite, nous sommes montés en voiture et nous sommes allés chercher Marc et Jocelyne, des amis.

2. Je suis arrivé à la plage avant eux. Je me suis déshabillé et je me suis promené sur la plage en maillot de bain. Je me suis assis sur le sable. Ensuite, je suis allé mettre les pieds dans l'eau, et puis j'y ai mis les mains et enfin la tête. Quand je suis entré complètement dans l'eau, j'ai eu un peu froid.

3. C'est alors que vous êtes arrivé, cher ami. Vous avez marché sur le sable mouillé. Vous avez nagé pendant quinze minutes. Vous avez mis la tête dans l'eau. Puis vous êtes sorti de l'eau, vous êtes allé voir Jocelyne, et vous êtes resté avec elle.

4. Jocelyne a ouvert le sac en plastique pour y prendre une serviette. D'abord elle s'est essuyée avec la serviette. Ensuite, elle s'est assise dessus pour ne pas mettre de sable sur son maillot de bain mouillé. Elle a mangé un sandwich. Elle a mis ses lunettes de soleil pour se promener un peu sur la plage.

5. Mes amis et moi, nous sommes restés au soleil du matin au soir. Nous nous sommes bien amusés. Mais je vous ai vu partir. Vous êtes rentré à l'hôtel avant les autres. Pourquoi est-ce que vous n'êtes pas resté plus longtemps avec nous? Vous ne vous êtes pas amusé?

B. Je recevrai des cartes postales de notre ami Jean-François. Je voudrai bien lui répondre, mais je ne pourrai pas le faire. Il ne voudra pas me donner son adresse à Bruxelles. Nous devrons la demander à ses parents; mais nous n'aurons pas besoin, pour cela, d'aller les voir : nous leur téléphonerons tout simplement.

Exercice 88. 1. M. Marchal vient voir M. Duval./M. Marchal vient le voir. 2. Oui, il apporte quelque chose à M. Duval./Oui, il lui apporte quelque chose. 3. Non, il n'a pas vu le projet de lettre que M. Marchal a donné à la secrétaire./Non, il ne l'a pas vu. 4. Non, il ne s'en souvient pas. 5. Elle l'a mis dans le parapheur sur le bureau de M. Duval. 6. Non, il n'y est pas. 7. Il est dans le tiroir. 8. Oui, elle le trouve. 9. Elle est jolie. 10. Ce qui intéresse le plus M. Duval, c'est son travail./Ce qui l'intéresse le plus, c'est son travail.

Exercice 89. 4ème dictée

– Où allez-vous demain? – Au Louvre! – En métro? – Oh, non! À pied, pour voir la ville. – Ah! Vous allez voir la place de l'Opéra avec ses statues, et la rue de Rivoli avec ses beaux magasins. – Oui, les statues de Paris sont très belles. – Vous aimez nos statues? – Beaucoup. – Alors, n'oubliez pas de visiter le Musée Rodin. Vous verrez, c'est très intéressant. – Entendu! – À bientôt!

Exercice 90.

1. Non, pour aller voir leurs amis, ils ne prennent pas l'autobus./Non, pour aller les voir, ils ne le prennent pas. 2. Ils doivent changer à *Châtelet*. 3. Oui, on achète les tickets dans la station de métro./Oui, on les achète dans la station de métro. 4. Non, ils ne doivent pas faire la queue pour acheter des tickets de métro./Non, ils ne doivent pas faire la queue pour en acheter. 5. Oui, ils peuvent s'asseoir dans le métro. 6. Ils descendent à la station *Gare du Nord*. 7. Oui, il présente Marie à ses amis./Oui, il la présente à ses amis. 8. Ils disent « Enchanté » quand il leur présente Marie. 9. Il aime l'appartement d'Yvonne./Il l'aime. 10. Non, ils ne se ressemblent pas tous vraiment. 11. Oui, il parle de l'appartement./Oui, il en parle. 12. Non, il n'est pas loin de la gare. 13. Oui, il parle du temps./Oui, il en parle. 14. Il dit qu'il fait un temps magnifique. 15. Non, pour elle, il n'est pas magnifique. 16. Non, elle ne sait pas où est la famille d'Yvonne./Non, elle ne le sait pas. 17. Non, elle n'aime pas parler. 18. Non, ils ne sont pas restés longtemps chez Jacques et Yvonne.

Exercice 91.

1. Oui,il change de couleur quand il fait mauvais. 2. Non,je ne change pas d'adresse tous les jours. 3. Oui, beaucoup d'artistes changent de nom. 4. Oui, quand on voyage beaucoup, on change souvent d'hôtel. 5. Oui, ces dernières années, Paris a beaucoup changé. 6. Oui, ces dernières années, ils ont aussi beaucoup changé. 7. Oui, elles ont aussi beaucoup changé. 8. Oui, je dois quelquefois changer, quand je prends le métro. 9. Si on ne voit pas bien, on peut quelquefois changer de place. 10. Oui, quand je suis mal assis, je change de place.

Exercice 92. A.

1. Oui, en France, on travaille généralement jusqu'à 18 heures dans les bureaux./Oui, en France, on y travaille généralement jusqu'à 18 heures. 2. Oui, après avoir travaillé toute une journée, j'aime rentrer à la maison le soir./Oui, après avoir travaillé toute une journée, j'aime y rentrer le soir. 3. Oui, en général, on paye son loyer à la fin du mois./Oui, en général, on le paye à la fin du mois. 4. Oui, ils sont chers à Paris. 5. Oui, il y en a une. 6. Elle est dans la salle de bains. 7. Il est dans la cuisine. 8. Non, il n'y a pas de grands fauteuils dans la cuisine./Non, il n'y en a pas dans la cuisine. 9. Oui, elles ont beaucoup de tiroirs./Oui, elles en ont beaucoup. 10. Non, elles ne se ressemblent pas.

B. 1. Nous oublions rarement de payer notre loyer. 2. Juliette oublie rarement de payer son loyer. 3. Vous oubliez rarement de payer votre loyer. 4. La famille

Bresson oublie rarement de payer son loyer. 5. Les deux vieilles dames qui habitent au 3e étage oublient rarement de payer leur loyer. 6. Je ressemble à mon grand-père. 7. Anne ressemble à son grand-père. 8. Vous ressemblez à votre grand-père. 9. Mes frères et moi, nous ressemblons à notre grand-père. 10. Ces enfants ressemblent à leur grand-père.

C. 1. Alice est en train d'écrire à une amie. 2. Nous sommes en train de parler de Beethoven. 3. Mesdames, mesdemoiselles, messieurs, vous êtes en train de visiter le Musée d'Art moderne! 4. Qu'est-ce qu'ils sont en train de faire? 5. Ils sont en train de manger et de boire. 6. Colette est en train de dormir dans sa chambre. 7. Les enfants sont en train de s'amuser dans le corridor. 8. Qu'êtes-vous en train de faire? 9. Vous êtes en train de vous reposer pour pouvoir mieux travailler ensuite. 10. Il est en train de pleuvoir. 11. Ensuite, vers cinq heures, elle sera en train d'acheter un chapeau ou une robe rue du Faubourg St. Honoré. 12. Que serai-je en train de faire pendant ce temps-là? 13. Je serai en train de travailler. 14. Je serai en train de dicter une lettre. 15. A neuf heures du soir je serai en train de dîner avec des amis dans un petit restaurant de l'Ile Saint-Louis.

Exercice 93. A. 1. Nous avons sorti notre passeport et notre billet d'avion de notre poche. 2. Nous y avons laissé nos chèques de voyage. 3. Nous avons dû d'abord aller au bureau des passeports puis chercher nos valises et enfin passer à la douane. 4. Nous avons signé notre déclaration. 5. Nous avons dû ouvrir nos valises. 6. Nous n'avons pas eu de difficulté à passer car . . . 7. Nous avons pu refermer nos valises.

B. 1. Nous appellerons un porteur pour porter nos valises jusqu'à l'arrêt d'autobus. 2. Là, nous devrons faire la queue avant de prendre place dans l'autobus. 3. Nous y ferons mettre nos valises et nous monterons. 4. Déjà, les gens parleront français. 5. Nous regarderons par la fenêtre de l'autobus. 6. Il pleuvra. 7. Nous verrons des arbres sur les trottoirs et beaucoup de monde partout. 8. Nous regarderons comment les Parisiens sont habillés. 9. L'autobus arrivera à un carrefour et s'arrêtera à un feu rouge. 10. Les autres voitures s'arrêteront aussi. 11. Nous regarderons les gens. 12. Enfin, nous arriverons aux Invalides. 13. Tout le monde descendra. 14. Nous irons chercher nos valises. 15. Nous demanderons à quelqu'un où se trouve le guichet pour confirmer les réservations. 16. Ensuite, nous irons au bureau de change. 17. Enfin nous sortirons. 18. Mais il faudra encore faire la queue pour attendre un taxi. 19. Dans le taxi, nous pourrons nous reposer un peu. 20. Paris sera très beau sous la pluie. 21. Bientôt on sera à l'hôtel. 22. Ce sera un petit hôtel du Quartier Latin. 23. Après une bonne nuit de sommeil, nous pourrons commencer à visiter la capitale. 24. Ce sera merveilleux, non?

Berlitz® Français I

PROGRAMME DE BANDES MAGNETIQUES

Bande Numéro 1

(Effet sonore: musique)

C'est de la musique. (Répétez)
C'est de la musique française. (Répétez)

(téléphone)

—Oh, le téléphone!

C'est le téléphone. (Répétez)

—La porte, s'il vous plaît!

(porte)

—Ah, merci.

C'est la porte? Répondez: Oui, c'est . . .	Oui, c'est la porte. (Répétez)
Et ça, (téléphone) est-ce que c'est la porte? Répondez: Non, ce n'est pas . . .	Non, ce n'est pas la porte. (Répétez)

(téléphone)

Qu'est-ce que c'est? Répondez: C'est . . .	C'est le téléphone. (Répétez)

(porte)

Et ça, qu'est-ce que c'est?	C'est la porte.

Bien.

la porte (Répétez)
la table (Répétez)
la chaise

le téléphone (Répétez)
le crayon
le livre
le papier

Répétez: *le* papier   *la* porte
le   la
la   le
a   e
a . . . . . e . . . . . i . . . . . o . . . . . u . . . . . u

—Une cigarette?
—Oui, merci.

Qu'est-ce que c'est? Un cigare?	Non, ce n'est pas un cigare. (Répétez)
C'est un cigare ou une cigarette?	C'est une cigarette. (Répétez)

(allumette)

Et ça, c'est une allumette? Oui, . . .	Oui, c'est une allumette. (Répétez)

Répétez: une cigarette
un paquet de cigarettes (Répétez)
un cigare
une boîte de cigares (Répétez)
une allumette
une boîte d'allumettes

Très bien.

Répétez: *un* paquet *une* boîte
un une
un . . . . . deux . . . . . trois
une . . . . deux . . . . . trois

L'allumette est courte, n'est-ce pas? Oui, . . .	Oui, l'allumette est courte.
Et la cigarette? La cigarette est-elle courte ou longue?	La cigarette est longue.

—Du vin, mademoiselle?
—Non, non.
—Du café?
—Ah oui, merci.

Est-ce que le café est noir?	Oui, le café est noir.
Et le lait. Est-ce que le lait est noir?	Non, le lait n'est pas noir.
De quelle couleur est le lait?	Le lait est blanc. (Répétez)
Et le vin. Le vin est-il rouge? Oui, . . .	Oui, le vin est rouge.

Bon.

Répétez: un bon vin
un bon vin rouge (Répétez)
un bon vin blanc
un bon vin blanc

un bon café
un bon café au lait
un bon café noir

De quelle couleur est le café?	Le café est noir.
De quelle couleur est le lait?	Le lait est blanc.
De quelle couleur est le vin?	Le vin est rouge ou blanc. (Répétez)
De quelle couleur est la cigarette?	La cigarette est blanche. (Répétez)
De quelle couleur est le papier?	Le papier est blanc.
De quelle couleur est le téléphone?	Le téléphone est noir. (Répétez)
Et de quelle couleur est la bande?	La bande est marron.

Très bien.

La bande est longue, n'est-ce pas?	Oui, la bande est longue.

Répétez: la rue de Rivoli

Est-ce que la rue de Rivoli est longue? Oui, . . .	Oui, la rue de Rivoli est longue.
Et la rue de la Paix, est-elle longue? Non, . . .	Non, la rue de la Paix n'est pas longue. (Répétez)

La rue de la Paix est courte. (Répétez)

la rue (Répétez)
le boulevard (Répétez)
le boulevard St. Germain (Répétez)
Le boulevard St. Germain est long. (Répétez)

Est-ce que le boulevard Pasteur est long?
Non, . . . — Non, le boulevard Pasteur n'est pas long.
Le boulevard Pasteur est-il long ou court? — Le boulevard Pasteur est court.

Maintenant répétez: boulevard — *le* boulevard
rue — *la* rue

Répétez avec *le* ou *la*:

téléphone?	le ou la?	le téléphone
musique?	le ou la?	la musique
bande?		la bande
cassette?		la cassette
magnétophone?		le magnétophone?
rue?		la rue
rue de la Paix?		la rue de la Paix
café?		le café
Café de la Paix?		le Café de la Paix
ville?		la ville
ville de Paris?		la ville de Paris
France?		la France

Très bien.

Est-ce que Paris est grand? Oui, . . . — Oui, Paris est grand.
Est-ce que Monaco est grand? — Non, Monaco n'est pas grand.
Comment est Monaco? — Monaco est petit.
Comment est la France, grande ou petite? — La France est grande.

Bien. C'est très bien.
Merci et au revoir.

La première bande est terminée.

Bande Numéro 2

Écoutez!

—Vous êtes de Versailles, mademoiselle, ou de Paris?
—De Paris, monsieur. Je suis de Paris.

Est-ce que Paris est une ville? Oui, . . . — Oui, Paris est une ville.
Est-ce que c'est une grande ville? — Oui, c'est une grande ville.
Versailles est une autre ville, n'est-ce pas? — Oui, Versailles est une autre ville.
Est-ce que Versailles est une grande ville ou une petite ville? — Versailles est une petite ville. (Répétez)

—Psst! Fifi!

(petit chien)

Qu'est-ce que c'est, un chat ou un chien?	C'est un chien.
C'est un grand chien? Non, . . .	Non, ce n'est pas un grand chien.
C'est un grand chien ou un petit chien?	C'est un petit chien.

(grand chien)

Est-ce que c'est un autre chien?	Oui, c'est un autre chien.

—Ah, quelle voiture!

(grande voiture)

Est-ce que c'est une voiture?	Oui, c'est une voiture.
C'est une grande voiture, n'est-ce pas?	Oui, c'est une grande voiture.
Une grande voiture américaine. (Répétez)	

(petite voiture)

Et ça, c'est une autre voiture, n'est-ce pas?	Oui, c'est une autre voiture.
Est-ce que c'est une grande voiture? Non, . . .	Non, ce n'est pas une grande voiture.
Est-ce que c'est une grande voiture américaine? Non, . . .	Non, ce n'est pas une grande voiture américaine.
C'est une petite voiture, n'est-ce pas?	Oui, c'est une petite voiture.
Est-ce que c'est une petite voiture française? Oui, . . .	Oui, c'est une petite voiture française.
La voiture américaine est-elle grande ou petite? Elle . . .	Elle est grande.
La voiture française est-elle grande ou petite?	Elle est petite.
Pardon! Quelle voiture est petite, la voiture américaine ou la voiture française?	La voiture française est petite.
Et quelle voiture est grande?	La voiture américaine est grande.

(grande voiture)

Est-ce que cette voiture est dans le garage?	Non, elle n'est pas dans le garage.
Où est-elle, dans la rue?	Oui, elle est dans la rue.

—Boulevard des Italiens!
—Ah, l'école Berlitz. Pardon.

—Entrez. Bonjour, mademoiselle Duval.
—Bonjour, M. le professeur.

Est-ce que Mlle Duval est l'élève?	Oui, Mlle Duval est l'élève.
Mlle Duval n'est pas le professeur, n'est-ce pas?	Non, Mlle Duval n'est pas le professeur.
Est-ce que le professeur est américain?	Non, il n'est pas américain.
Est-ce qu'il est français?	Oui, il est français.
Très bien.	

Mlle Duval est dans la classe, n'est-ce pas?	Oui, elle est dans la classe.
Est-elle assise? Oui, . . .	Oui, elle est assise.
Pardon? Est-elle assise ou debout?	Elle est assise.
Est-elle assise derrière le professeur?	Non, elle n'est pas assise derrière le professeur.
Est-ce qu'elle est assise derrière ou devant le professeur?	Elle est assise devant le professeur.

Bien.

Mlle Duval n'est pas le professeur.	
Et vous! Est-ce que vous êtes le professeur?	Non, je ne suis pas le professeur.
Est-ce que vous êtes Mlle Duval?	Non, je ne suis pas Mlle Duval.
Est-ce que vous êtes Mme Duval?	Non, je ne suis pas Mme Duval.
Êtes-vous M. Duval?	Non, je ne suis pas M. Duval.
Alors, qui êtes-vous? Je suis . . .	
Ah, bien!	

Et moi! Est-ce que je suis l'élève? Non, vous n'êtes pas . . .	Non, vous n'êtes pas l'élève.
Est-ce que je suis le directeur? Non, . . .	Non, vous n'êtes pas le directeur.
Je suis le professeur, n'est-ce pas? Oui, . . .	Oui, vous êtes le professeur.
Est-ce que je suis le professeur d'anglais ou le professeur de français?	Vous êtes le professeur de français.
Parfait!	

Maintenant, écoutez!

(avion)

C'est un avion, n'est-ce pas?	Oui, c'est un avion. (Répétez)

Répétez: un avion

(train)

Est-ce un avion?	Non, ce n'est pas un avion.
Qu'est-ce que c'est? Un avion ou un train?	C'est un train.
Répétez: un train	

—(haut-parleur)—*Paris. Gare de Lyon. Gare de Lyon.*

Répétez: Le train est à la gare.
Répétez: La voiture est dans le garage.
Répétez: L'avion est à l'aéroport.

a — é — ro — port (Répétez)
a — é — ro — port
a — é
a — e la le — le la

le garage
la gare
la gare et le garage

deux gares et un garage
deux — un, deux
deux — bleu — monsieur
ou — vous — debout
Vous êtes debout.

ou — court — courte
La rue est courte.
Le boulevard est court.

La bande est longue.
Cette bande est terminée.

Au revoir et merci.
La deuxième bande est terminée.

Bande Numéro 3

Bande numéro 3.
Écoutez. Écoutez Pierre et Mme Duval!

—Bonjour, Pierre.
—Bonjour, Mme Duval.
—Vous allez à l'école, Pierre?
—Oui, je vais à l'école.

Est-ce que Pierre va à la maison? Non, . . .	Non, il ne va pas à la maison.
Est-ce qu'il va à la gare? Non, . . .	Non, il ne va pas à la gare.
Est-ce qu'il va à l'hôtel? Non, . . .	Non, il ne va pas à l'hôtel.
Où va-t-il? À l'école?	Oui, il va à l'école.
Est-ce qu'il va à l'école pour prendre une leçon?	Oui, il va à l'école pour prendre une leçon. (Répétez)
Très bien.	
Et vous? Est-ce que vous allez à l'école? Oui, . . .	Oui, je vais à l'école.
Allez-vous à l'école pour prendre une leçon?	Oui, je vais à l'école pour prendre une leçon. (Répétez)
Allez-vous à l'école pour prendre une leçon de français?	Oui, je vais à l'école pour prendre une leçon de français. (Répétez)
Bien.	
Allez-vous à la gare? Non, . . .	Non, je ne vais pas à la gare.
Allez-vous à l'hôtel?	Non, je ne vais pas à l'hôtel.
Où allez-vous, à l'école? Oui, . . .	Oui, je vais à l'école.

Écoutez Pierre et Mme Duval.

—Et vous Madame Duval! Où allez-vous?
—Je vais au restaurant.

Est-ce que Mme Duval va à l'école? Non, elle ne . . .	Non, elle ne va pas à l'école.
Va-t-elle au garage? Non, . . .	Non, elle ne va pas au garage.
Où va-t-elle? Au restaurant? Oui, . . .	Oui, elle va au restaurant.

Chut! Écoutez Pierre et la dame!

—Prenez-vous le métro, Pierre?
—Non, Madame Duval, je prends l'autobus.

Est-ce que Pierre prend le métro? — Non, il ne prend pas le métro.
Prend-il un taxi? — Non, il ne prend pas un taxi.
Que prend-il pour aller à l'école? — Il prend l'autobus pour aller à l'école.
Prend-il l'autobus pour aller au cinéma? — Non, il ne prend pas l'autobus pour aller au cinéma. (Répétez)

Très bien.

Et vous! Prenez-vous l'autobus? Oui, . . . — Oui, je prends l'autobus.
Prenez-vous l'autobus pour aller à la gare? Oui, . . . — Oui, je prends l'autobus pour aller à la gare.
Allez-vous à la gare? Oui, . . . — Oui, je vais à la gare.
Allez-vous à la gare pour prendre le train? — Oui, je vais à la gare pour prendre le train.
Prenez-vous le train pour aller à Lyon?
Oui, . . . — Oui, je prends le train pour aller à Lyon.
OU: Non, . . . — Non, je ne prends pas le train pour aller à Lyon.

Maintenant écoutez Pierre. Il arrive à l'école.

(On frappe à la porte.)

Est-ce que Pierre frappe? — Oui, il frappe.
Est-ce qu'il frappe à la porte? — Oui, il frappe à la porte.

—Entrez!

Est-ce qu'il entre? — Oui, il entre.
Entre-t-il dans la classe? — Oui, il entre dans la classe.
Très bien.

Et vous. Frappez-vous à la porte? Non, . . . — Non, je ne frappe pas à la porte.
Entrez-vous dans la classe? — Non, je n'entre pas dans la classe. (Répétez)

Qui entre dans la classe? Pierre? — Oui, Pierre entre dans la classe.
Pardon? Qui est-ce qui entre dans la classe? C'est Pierre qui . . . — C'est Pierre qui entre dans la classe.
Qui est-ce qui frappe à la porte? C'est Pierre . . . — C'est Pierre qui frappe à la porte.
Qui est-ce qui va à l'école? — C'est Pierre qui va à l'école.
Qui est-ce qui prend une leçon? — C'est Pierre qui prend une leçon.
Très bien.

Écoutez le professeur!

—Fermez la porte, s'il vous plaît.
—Oui, monsieur.
—Merci, Pierre.

Est-ce que Pierre ferme la fenêtre? — Non, il ne ferme pas la fenêtre. (Répétez)
Qu'est-ce qu'il ferme? — Il ferme la porte.
Est-ce qu'il ouvre la porte? Non, . . . — Non, il n'ouvre pas la porte.
Et vous. Ouvrez-vous la fenêtre? Non, . . . — Non, je n'ouvre pas la fenêtre.
Fermez-vous la porte? Non, . . . — Non, je ne ferme pas la porte.
Est-ce que le professeur ferme la porte? — Non, il ne ferme pas la porte.
Alors, qui ferme la porte? — Pierre ferme la porte.
Pardon? Qui est-ce qui ferme la porte? — C'est Pierre qui ferme la porte.
Qui est-ce qui prend la leçon? — C'est Pierre qui prend la leçon.
Très bien.

Maintenant répétez, s'il vous plaît.

—Bonjour Pierre, bonjour Pierre. (Répétez) Bonjour Pierre, bonjour Pierre.
—Bonjour, Madame Duval.
—Vous allez à l'école?
—Oui, je vais à l'école. Et vous, où allez-vous?
—Je vais au restaurant.
—Ah!
—Prenez-vous le métro, Pierre?
—Non, je prends l'autobus. Ah, voilà mon autobus.
—Au revoir, Pierre.
—Au revoir, Madame Duval.

Maintenant écoutez, s'il vous plaît. Ne répétez pas!

—Bonjour Pierre, bonjour Pierre.
—Bonjour, Madame Duval.
—Vous allez à l'école?
—Oui, je vais à l'école. Et vous, où allez-vous?
—Je vais au restaurant.
—Ah!
—Prenez-vous le métro, Pierre?
—Non, je prends l'autobus. Ah, voilà mon autobus.
—Au revoir, Pierre.
—Au revoir, Madame Duval.

Au revoir, madame.
Au revoir, mademoiselle.
Au revoir, monsieur.
Au revoir et merci.

La bande numéro 3 est terminée.

Bande Numéro 4

Bande numéro 4. (Répétez)
5 — 6 — 7 (Répétez)
8 — 9 — 10 (Répétez)

Est-ce que je compte? Oui, vous comptez.
Est-ce que je compte de 5 à 10? Oui, vous comptez de 5 à 10.

10 — 11 — 12 — 13 (Répétez)
14 — 15 — 16 (Répétez)
17 — 18 — 19 . . . 20

Est-ce que je compte de 10 à 20? Oui, vous comptez de 10 à 20.

Répétez: 6 — 10
13 — 16
5 — 15

un franc (Répétez)
deux francs
trois francs
quatre francs

Est-ce que je compte l'argent?	Oui, vous comptez l'argent.
Est-ce que je mets l'argent sur la table?	Oui, vous mettez l'argent sur la table.
Et vous. Mettez-vous l'argent sous la table? Non, . . .	Non, je ne mets pas l'argent sous la table.

Écoutez Pierre!

—Un livre, 2, 3, 4, livres.

Est-ce que Pierre compte les livres?	Oui, il compte les livres.

Écoutez le professeur!

—Une cigarette, 2, 3, 4, 5 cigarettes.

Est-ce que le professeur compte les livres?	Non, il ne compte pas les livres.
Qu'est-ce qu'il compte, les livres ou les cigarettes?	Il compte les cigarettes.

—1, 2, 3, 4, 5 cigarettes.

Est-ce qu'il y a 5 cigarettes dans le paquet?	Oui, il y a 5 cigarettes dans le paquet.
Est-ce qu'il y a 12 cigarettes dans le paquet?	Non, il n'y a pas 12 cigarettes dans le paquet.
Y a-t-il 13 cigarettes dans le paquet?	Non, il n'y a pas 13 cigarettes dans le paquet.
Y a-t-il 14 cigarettes dans le paquet?	Non, il n'y a pas 14 cigarettes dans le paquet.
15 cigarettes?	Non, il n'y a pas 15 cigarettes dans le paquet.
Combien de cigarettes est-ce qu'il y a dans le paquet?	Il y a 5 cigarettes dans le paquet.

—1, 2, 3, 4 livres.

Combien de livres y a-t-il sur la table? 4 ou 5?	Il y a 4 livres sur la table.

—1, 2, 3, 4 francs.

Combien d'argent y a-t-il sur la table? 4 francs ou 14 francs?	Il y a 4 francs sur la table.

Répétez: 5 — 10 — 15 — 20
21 — 22 — 23 — 29
30 — 31 — 35 — 39
40 — 50 — 60
70 — 80 — 90
100 — 1000 — 1900 — 1970

Bien.

Écoutez!

(chien)

Qu'est-ce que c'est?	C'est un chien. (Répétez)

(plusieurs chiens)

Ce sont des chiens, n'est-ce pas? — Oui, ce sont des chiens. (Répétez)

(un chat)

C'est un chat, n'est-ce pas? — Oui, c'est un chat.

(plusieurs chats)

Et ça, qu'est-ce que c'est? — Ce sont des chats. (Répétez)

Maintenant, écoutez!

(pendule)

C'est une pendule. (Répétez)

(plusieurs pendules)

Et ça, qu'est-ce que c'est? — Ce sont des pendules.

Répétez: C'est une voiture.
Pluriel: Ce sont des voitures. (Répétez)

C'est un autobus. (Répétez) Pluriel . . . ? — Ce sont des autobus.
C'est un train. (Répétez) Pluriel . . . ? — Ce sont des trains.
C'est un avion. Pluriel . . . ? — Ce sont des avions.
C'est l'avion pour Marseille. Pluriel . . . ? — Ce sont les avions pour Marseille.
Le train est long. (Répétez) Pluriel . . . ? — Les trains sont longs.
La gare est grande. (Répétez) Pluriel . . . ? — Les gares sont grandes.

Maintenant écoutez M. Duval à la gare de Lyon!

—(haut-parleur)—*Le train pour Lyon, Tarascon, Avignon, Marseille . . .*
—*Journaux, Figaro, Le Monde, L'Exprès . . .*
—*Le Figaro, s'il vous plaît!*
—*Voilà, monsieur.*

Est-ce que M. Duval prend un journal? — Oui, il prend un journal.
Prend-il deux journaux? — Non, il ne prend pas deux journaux.
Prend-il "Le Monde"? — Non, il ne prend pas "Le Monde".

—*Le Figaro, s'il vous plaît!*

Quel journal prend-il? — Il prend "Le Figaro".

—*Voilà Le Figaro, monsieur. C'est 50 centimes. 50 centimes.*

Est-ce que "Le Figaro" coûte un franc? — Non, il ne coûte pas un franc.
Coûte-t-il 15 centimes? — Non, il ne coûte pas 15 centimes.
Combien coûte-t-il? — Il coûte 50 centimes.

Maintenant écoutez. Mme Duval prend un café.

—(haut-parleur)—*Le train pour Lyon, Tarascon, Avignon, Marseille . . .*
—*Voilà votre café, madame.*

Est-ce que Mme Duval prend un cognac? — Non, elle ne prend pas de cognac.
Qu'est-ce qu'elle prend? — Elle prend un café.

—Voilà votre café, madame.
—Merci. Ça fait combien?
—Deux francs, madame.

Est-ce que le café coûte 4 francs? — Non, il ne coûte pas 4 francs.
Est-ce qu'il coûte 3 francs? — Non, il ne coûte pas 3 francs.
Combien coûte-t-il? — Il coûte 2 francs.

Eh bien, cette bande est terminée.
Oui, la bande numéro 4 est terminée.
Au revoir et merci.

Bande Numéro 5

Bande numéro 5.
Ou: cinquième bande (Répétez)
Bande numéro 4 . . . ou — quatrième bande
Bande numéro 3 . . . ou — troisième bande
Bande numéro 2 . . . ou — deuxième bande
Bande numéro 1 . . . ou — première bande
Bien.

Écoutez-vous la première bande? — Non, je n'écoute pas la première bande.
Écoutez-vous la deuxième bande? — Non, je n'écoute pas la deuxième bande.
La troisième? — Non, je n'écoute pas la troisième bande.
Alors, quelle bande écoutez-vous? — J'écoute la cinquième bande.
Très bien.

Maintenant écoutez la secrétaire! Écoutez!

—Allô? Oui . . . ?
—Allô. Ici M. Latour.

Est-ce que la secrétaire dit "Allô"? — Oui, elle dit "Allô".
Et M. Latour, dit-il "Allô" aussi? — Oui, il dit "Allô" aussi.
Est-ce qu'il dit son adresse? — Non, il ne dit pas son adresse. (Répétez)

—Allô. Ici M. Latour . . . oui, oui . . . Jean Latour. Latour!

Dit-il son nom? — Oui, il dit son nom.
Dit-il son nom à Mme Dupont? — Non, il ne dit pas son nom à Mme Dupont.
Dit-il son nom à la secrétaire? — Oui, il dit son nom à la secrétaire.
Bien.

Et vous. Dites-vous votre nom? Non, . . . — Non, je ne dis pas mon nom. (Répétez)
Au téléphone, est-ce que vous dites votre nom? Oui, au téléphone . . . — Oui, au téléphone je dis mon nom.

Écoutez!

—Allô. Bonjour, M. Latour.
—Bonjour, Mlle. Est-ce que votre directeur est au bureau?
—Non, monsieur, il n'est pas ici. Il vient à 10 heures.

Est-ce que le directeur est au bureau? — Non, il n'est pas au bureau.
Est-ce qu'il vient à 8 heures? Non, . . . — Non, il ne vient pas à 8 heures.

Est-ce qu'il vient à 9 heures? Non, . . . — Non, il ne vient pas à 9 heures.
À quelle heure est-ce qu'il vient? À 10 heures? — Oui, il vient à 10 heures.
Qui est au bureau? La secrétaire, n'est-ce pas? — Oui, la secrétaire est au bureau.

Écoutez!

—Mademoiselle, est-ce que votre directeur est au bureau?

C'est une question, n'est-ce pas? — Oui, c'est une question.
Est-ce que vous posez cette question? — Non, je ne pose pas cette question.
Qui est-ce qui pose cette question? La secrétaire ou M. Latour? — C'est M. Latour qui pose cette question. (Répétez)

Écoutez!

—Non, monsieur, il n'est pas au bureau.

C'est une réponse, n'est-ce pas? — Oui, c'est une réponse.
Est-ce que la secrétaire répond? — Oui, elle répond.
Est-ce qu'elle répond en anglais? — Non, elle ne répond pas en anglais.
En quelle langue est-ce qu'elle répond? — Elle répond en français.
Et vous maintenant. Répondez-vous en allemand? — Non, je ne réponds pas en allemand.
En quelle langue répondez-vous? — Je réponds en français.

—Oh, mon Dieu! La lettre! La lettre pour M. Latour!

(machine à écrire)

Est-ce que la secrétaire écrit? — Oui, elle écrit.
Écrit-elle une carte postale? — Non, elle n'écrit pas une carte postale.
Est-ce qu'elle écrit une lettre? Oui, . . . — Oui, elle écrit une lettre.

—Bonjour, mademoiselle.
—Bonjour, M. le directeur.
—Mademoiselle, cette lettre pour M. Latour, s'il vous plaît!
—Voici, monsieur.
—Merci. "Cher monsieur . . . "

Est-ce que le directeur lit un journal? — Non, il ne lit pas un journal.
Qu'est-ce qu'il lit? Une lettre? — Oui, il lit une lettre.

Écoutez encore!

—Mlle, cette lettre ne va pas.
—Comment ça, monsieur?
—Eh! Non, ça ne va pas!
—Oh, monsieur.

(machine à écrire)

Est-ce que la secrétaire écrit une autre lettre? — Oui, elle écrit une autre lettre.
Est-ce que le directeur a lu la première lettre? — Oui, il a lu la première lettre.
Et vous. Avez-vous lu cette première lettre? — Non, je n'ai pas lu cette première lettre.

Qui a écrit la première lettre, la secrétaire?	Oui, la secrétaire a écrit la première lettre. (Répétez) Ou: C'est la secrétaire qui a écrit la première lettre. (Répétez)
Et maintenant la secrétaire écrit la deuxième lettre, n'est-ce pas?	Oui, maintenant elle écrit la deuxième lettre.
M. Latour a-t-il téléphoné?	Oui, il a téléphoné. (Répétez)
Est-ce qu'il a parlé à la secrétaire ou au directeur?	Il a parlé à la secrétaire.
Et vous. Avez-vous téléphoné à la secrétaire?	Non, je n'ai pas téléphoné à la secrétaire.
Avez-vous téléphoné au professeur?	Non, je n'ai pas téléphoné au professeur.
Avez-vous écouté le professeur sur la bande?	Oui, j'ai écouté le professeur sur la bande.
Est-ce qu'il a posé des questions?	Oui, il a posé des questions.
Avez-vous répondu?	Oui, j'ai répondu.
Avez-vous répété?	Oui, j'ai répété.

Eh bien, répétez maintenant:

é — lé — télé — le téléphone
j'écoute — vous écoutez
é — è — élève — école française
Ce sont les élèves d'une école française.

Écoutez maintenant! Ne répétez pas!

—Allô? Oui . . . ?
—Allô. Ici M. Latour. Jean Latour.
—Allô. Bonjour, M. Latour.
—Bonjour, Mlle. Est-ce que votre directeur est au bureau?
—Non, monsieur, il n'est pas ici. Il vient à 10 heures.
—Bon, merci.
—Je vous en prie.
—Au revoir, Mlle.
—Au revoir, monsieur.

—Ah, la lettre! La lettre pour M. Latour.
—Bonjour, Mlle.
—Bonjour, M. le directeur.
—Mlle, cette lettre pour M. Latour, s'il vous plaît.
—Voici, monsieur.
—Merci. "Cher monsieur . . . "
—Est-ce que M. Latour vient au bureau, monsieur?
—Oui, Mlle.
—Est-ce qu'il vient demain?
—Oui, Mlle.
—Est-ce que M. Latour . . .
—Chut! Mlle, s'il vous plaît . . . ne posez pas de questions! Mlle, cette lettre ne va pas.
—Comment ça, monsieur?
—Eh! Non, ça ne va pas!
—Oh, monsieur.

Voilà! Nous avons terminé.
Nous avons terminé la cinquième bande.
Au revoir et merci.

Bande Numéro 6

Ou: sixième bande

Pierre et Marie sont à la gare. (Répétez)

Écoutez!

—2 billets, s'il vous plaît.
—Oui, monsieur.

Qui est-ce qui prend les billets, Pierre ou Marie?
C'est Pierre qui prend les billets. (Répétez)
Il est à la gare, n'est-ce pas?
Oui, il est à la gare.
Prend-il des billets d'avion? Non, . . .
Non, il ne prend pas des billets d'avion. (Répétez)

Écoutez!

—Où allez-vous, monsieur?
—Euh! Pardon! À Lyon! Deux billets pour Lyon.

Combien de billets prend-il? Un ou deux?
Il prend deux billets. (Répétez)
Est-ce que ce sont des billets pour Bordeaux?
Non, ce ne sont pas des billets pour Bordeaux. (Répétez)
Ce sont des billets pour Lyon, n'est-ce pas?
Oui, ce sont des billets pour Lyon. (Répétez)

Est-ce que Pierre et Marie vont à Avignon? Non, ils . . .
Non, ils ne vont pas à Avignon.
Où vont-ils, à Tarascon ou à Lyon?
Ils vont à Lyon.
Est-ce que Pierre et Marie prennent le train? Oui, ils . . .
Oui, ils prennent le train.
Prennent-ils le train pour Bordeaux?
Non, ils ne prennent pas le train pour Bordeaux.

Prennent-ils le train pour Toulouse ou pour Lyon?
Ils prennent le train pour Lyon.
Très bien.

Écoutez!

—C'est combien?
—2 billets. . . 20F, monsieur. 20F.

Combien coûtent les 2 billets?
Les 2 billets coûtent 20F. (Répétez)
Et combien coûte 1 billet?
Un billet coûte 10F.
Bien.

Écoutez!

—5, 10, 12, 15, voilà 20F.

Est-ce que Pierre compte?
Oui, il compte.
Est-ce qu'il compte l'argent?
Oui, il compte l'argent. (Répétez)
Est-ce qu'il compte son argent?
Oui, il compte son argent.
Et vous. Est-ce que vous comptez votre argent? Non, . . .
Non, je ne compte pas mon argent.
Et moi. Est-ce que je compte mon argent? Non, vous . . .
Non, vous ne comptez pas votre argent.

Bon! Écoutez!

—Ah! Marie, regardez la carte! Où est Lyon?
—Lyon est ici.

Pierre et Marie sont-ils devant la carte?	Oui, ils sont devant la carte. (Répétez)
Regardent-ils la carte?	Oui, ils regardent la carte. Ou: Ils la regardent. (Répétez)
Est-ce qu'ils regardent Bordeaux ou Lyon sur la carte?	Ils regardent Lyon sur la carte.
Très bien.	

—(Haut-parleur) —*Le train pour Dijon, Lyon, Avignon . . .*
—Ah! Voilà notre train, Marie.
—Il va bien à Lyon?
—Mais oui, mais oui! Venez!
—(Haut-parleur)—*En voiture! En voiture!*

Est-ce que Marie prend le train?	Oui, elle le prend. (Répétez)
Et Pierre, est-ce qu'il le prend aussi?	Oui, il le prend aussi.
Et vous. Prenez-vous le train pour Lyon?	Non, je ne le prends pas.
Regardez-vous la carte?	Non, je ne la regarde pas.
Qu'est-ce que vous regardez? Le magnétophone?	Oui, je regarde le magnétophone. Ou: Oui, je le regarde.
Écoutez-vous quelque chose?	Oui, j'écoute quelque chose.
Écoutez-vous votre bande?	Oui, je l'écoute.
Écoutez-vous la 5e ou la 6e bande?	J'écoute la 6e bande.
Très bien.	

Est-ce que vous comprenez?	Oui, je comprends.
Comprenez-vous cette bande?	Oui, je la comprends.
La comprenez-vous bien?	Oui, je la comprends bien.
Est-ce que vous comprenez les questions?	Oui, je les comprends.
Répétez-vous les questions?	Non, je ne les répète pas.
Répétez-vous les réponses?	Oui, je les répète.

A — B — C — D (Répétez)	
Répétez-vous les lettres?	Oui, je les répète.
Bien.	

Répétez, s'il vous plaît!
Répétez les lettres u — i
u — i u — i musique
i — u i — u il fume
Il fume une cigarette.

Répétez la lettre "p".
p paquet petit
petit paquet
papa Paris
Papa va à Paris.
Bien.

Répétez-vous les mots? Oui, . . .	Oui, je les répète.
Vous apprenez quelque chose, n'est-ce pas?	Oui, j'apprends quelque chose.
Apprenez-vous l'italien?	Non, je n'apprends pas l'italien.
Apprenez-vous le français?	Oui, j'apprends le français.
L'apprenez-vous bien?	Oui, je l'apprends bien.

Bon. Maintenant, écoutez.

—Monsieur, monsieur le professeur!
—Oui, mademoiselle.
—Je ne comprends pas, monsieur.
—Non?
—Nous n'avons pas de livres, pas de papiers, pas de stylos.
—Non, mademoiselle.
—Je ne comprends pas cette méthode. Cette école n'est pas une école! Je n'ai pas de livres!
—Mais mademoiselle, vous avez un magnétophone, et vous avez des bandes. Vous écoutez les bandes, n'est-ce pas?
—Oui, monsieur, mais . . .
—Et vous répétez, n'est-ce pas?
—Oui, mais . . .
—Et vous parlez.
—Oui, monsieur, mais je n'ai pas de livres, et je ne lis ni en français ni en anglais.
—Comment! En anglais, mademoiselle!!! Apprenez-vous l'anglais ou le français ici?
—J'apprends le français, mais je n'ai pas de livres. Je ne lis pas. Je ne lis pas!
—Mais mademoiselle, vous écoutez, vous répétez, vous répondez, vous comprenez, vous parlez français!
—Alors, c'est ça la méthode Berlitz?
—Eh oui, mademoiselle!

Voilà la fin de la sixième bande.
À bientôt et merci.

Bande Numéro 7

Est-ce que la septième bande commence?	Oui, la septième bande commence.
Est-ce que nous commençons?	Oui, nous commençons.
Je vous parle, n'est-ce pas? Oui, vous me. . .	Oui, vous me parlez.
Est-ce que vous me parlez? Oui, je vous . . .	Oui, je vous parle.
Alors, nous parlons, n'est-ce pas? Eh! Oui, . . .	Eh! Oui, nous parlons.
Parlons-nous en anglais?	Non, nous ne parlons pas en anglais.
Est-ce que nous lisons quelque chose?	Non, nous ne lisons rien.
Est-ce que nous disons quelque chose?	Oui, nous disons quelque chose.
Est-ce que nous avons terminé cette bande? Non, . . .	Non, nous n'avons pas terminé cette bande.
Alors, nous ne sortons pas? Non, . . .	Non, nous ne sortons pas.
Allons-nous à la gare?	Non, nous n'allons pas à la gare.
Avons-nous des billets pour partir? Mais non, . . .	Mais non, nous n'avons pas de billets pour partir.
Alors, que faisons-nous? Nous écoutons la bande? Eh! Oui, . . .	Eh! Oui, nous écoutons la bande.

Très bien.

Donc, nous écoutons. Et les élèves? Ils écoutent. (Répétez)	
Nous parlons. Et les élèves? Ils . . .	Ils parlent.
Nous commençons. Et ils . . .	Ils commencent.
Nous lisons. Et ils . . .	Ils lisent.
Nous disons quelque chose. Et ils . . .	Ils disent quelque chose.
Nous finissons. Et ils . . .	Ils finissent.
Nous sortons. Et ils . . .	Ils sortent.
Nous ne sortons pas. Et ils . . .	Ils ne sortent pas.
Nous allons à la gare. Ils . . .	Ils vont à la gare.
Nous venons du bureau. Ils . . .	Ils viennent du bureau.
Nous prenons l'autobus. Ils . . .	Ils prennent l'autobus.

Nous comprenons. Ils . . .
Ils comprennent.
Nous finissons. Ils . . .
Ils finissent.
Nous écoutons. Et ils . . .
Ils écoutent.

Très bien. Et maintenant, chut!

(ascenseur)

C'est un ascenseur, n'est-ce pas?
Oui, c'est un ascenseur. (Répétez)

Écoutez!

—Premier étage.

Est-ce que l'ascenseur est au deuxième étage?
Non, il n'est pas au deuxième étage.
À quel étage est-il?
Il est au premier étage.
Va-t-il au deuxième? Oui, . . .
Oui, il va au deuxième.

Écoutez!

—Pardon, monsieur! Où est le Consulat du Canada, s'il vous plaît?
—Au quatrième, mademoiselle. Ici.
—Merci.

Est-ce que Mlle Duval va au cinquième?
Non, elle ne va pas au cinquième.
Va-t-elle au sixième?
Non, elle ne va pas au sixième.
À quel étage va-t-elle?
Elle va au quatrième.

—Le Consulat du Canada? C'est la deuxième porte à gauche, mademoiselle.
—Ah bon! Merci.

Est-ce que Mlle Duval va au Consulat d'Espagne?
Non, elle ne va pas au Consulat d'Espagne.
À quel consulat va-t-elle?
Elle va au Consulat du Canada.

Écoutez encore!

—Euh! Bonjour. Je suis Marie Duval.
—Comment? Pardon? Je n'ai pas compris, mademoiselle.
—Du — val.

Est-ce que la secrétaire a compris?
Non, elle n'a pas compris.
Est-ce que Marie répète son nom?
Oui, elle répète son nom.
Le nom de Marie est Duval, n'est-ce pas?
Oui, son nom est Duval. (Répétez)
Quel est son prénom?
Son prénom est Marie. (Répétez)

Et vous maintenant, votre prénom s'il vous plaît. Mon prénom est . . .
Mon prénom est . . .
Et votre nom? Mon nom est . . .
Parfait!

Écoutez!

—Pardon, mademoiselle. Comment dites-vous?
—Du — val. D—U—V—A—L.
—Ah! Bien!
—Avez-vous mon passeport?
—Oui, mademoiselle. Duval, Duval, Duval. Ah! Marie Duval!

Est-ce que la secrétaire a votre passeport?
Non, elle n'a pas mon passeport.
Est-ce qu'elle a mon passeport?
Non, elle n'a pas votre passeport.

A-t-elle le passeport de Mlle Duval?	Oui, elle a son passeport.
A-t-elle le passeport de Mme Duval?	Non, elle n'a pas le passeport de Mme Duval.

Écoutez!

—Vous habitez à Paris, Mlle Duval?
—Oui, madame. Avec ma famille.

Est-ce que Marie habite à Marseille?	Non, elle n'habite pas à Marseille.
Où habite-t-elle?	Elle habite à Paris.

Écoutez!

—Que fait votre père, Mlle Duval?
—Il travaille dans un bureau.

Qui est-ce qui travaille dans un bureau?	C'est le père de Marie qui travaille dans un bureau. (Répétez) Ou: C'est le père de Marie. (Répétez)
Travaille-t-il dans un restaurant?	Non, il ne travaille pas dans un restaurant.
Alors, où travaille-t-il? Dans un bureau?	Oui, il travaille dans un bureau.
Très bien.	

Répétez: k — carte — cassette
Répétez: Cette cassette coûte quatre francs.

Répétez: je — je suis — Brigitte
la chaise de Brigitte
Gérard — Gilbert — Gigi
Gérard parle à Gigi — et Gigi à Gilbert

Très bien.

Terminons cette bande avec Marie Duval au Consulat du Canada.
Écoutez Marie, mais ne répétez pas, s'il vous plaît.
—Bonjour. Je suis Marie Duval.
—Comment? Pardon, mademoiselle, je n'ai pas compris. Quel est votre nom?
—Du — val. D—U—V—A—L.
—Ah! Bien, mademoiselle.
—Avez-vous mon passeport?
—Oui, mademoiselle. Vous habitez Paris?
—Oui, madame. Avec ma famille.
—Que fait votre père, mademoiselle Duval?
—Il travaille dans un bureau.
—Et vous. Est-ce que vous travaillez?
—Oui, mais je vais aussi à l'école.
—Quand partez-vous pour Montréal?
—Mardi.
—Avez-vous de la famille au Canada?
—Oui, ma soeur habite à Montréal.
—Bon! Eh bien, c'est tout! Voilà votre passeport, mademoiselle.
—Merci, madame. Au revoir.
—Au revoir, mademoiselle.

Au revoir, mademoiselle.
Au revoir, madame.
Au revoir, monsieur.

La septième bande est terminée.
Au revoir et merci.

Bande Numéro 8

Est-ce que vous écoutez?	Oui, j'écoute.
(petit chien)	
Oh! Qu'est-ce que c'est?	C'est un chien.
(grand chien)	
Et ça, est-ce le même chien ou un autre chien?	C'est un autre chien.
Bien. Écoutez!	
(petite voiture)	
C'est une voiture, n'est-ce pas?	Oui, c'est une voiture.
(petite voiture)	
Est-ce la même voiture?	Oui, c'est la même voiture.
(grande voiture)	
Est-ce la même voiture?	Non, ce n'est pas la même voiture.
Est-ce une autre voiture?	Oui, c'est une autre voiture.
Parfait!	
Dites-moi! Est-ce que nous parlons anglais maintenant?	Non, nous ne parlons pas anglais maintenant.
Avec moi vous parlez français, n'est-ce pas?	Oui, avec vous je parle français.
Bien.	
Je vous parle français et vous me parlez français. (Répétez)	
Est-ce que je vous parle?	Oui, vous me parlez.
Est-ce que vous me parlez?	Oui, je vous parle.
Est-ce que je vous pose des questions?	Oui, vous me posez des questions.
Est-ce que je vous donne des leçons?	Oui, vous me donnez des leçons.
Est-ce que je vous donne une lettre? Non, . . .	Non, vous ne me donnez pas de lettre.
Est-ce que je vous écris? Non, . . .	Non, vous ne m'écrivez pas.
Est-ce que je vous donne mon nom?	Non, vous ne me donnez pas votre nom.
Très bien.	
Mais vous. Donnez-moi votre nom, s'il vous plaît!	
Est-ce que vous me donnez votre nom?	Oui, je vous donne mon nom.
Me donnez-vous aussi votre prénom?	Non, je ne vous donne pas mon prénom.
Me donnez-vous votre adresse? Non, . . .	Non, je ne vous donne pas mon adresse.
Votre numéro de téléphone?	Non, je ne vous donne pas mon numéro de téléphone non plus.
Répétez: Marie est dans la rue.	
Répétez: Elle va chercher du lait.	
Est-ce qu'elle est à la maison?	Non, elle n'est pas à la maison.
Où est-elle? Dans la rue?	Oui, elle est dans la rue.
Qu'est-ce qu'elle va chercher? Du lait? Oui, . . .	Oui, elle va chercher du lait.

Est-ce qu'elle va le chercher à la bibliothèque? — Non, elle ne va pas le chercher à la bibliothèque.
Où va-t-elle chercher le lait? À l'épicerie? Oui, . . . — Oui, elle va le chercher à l'épicerie.
Bien!

Maintenant nous sommes à l'épicerie.

—Bonjour, monsieur.
—Bonjour, mademoiselle Duval.

Ce monsieur, c'est l'épicier.

—Bonjour, Mlle Duval.

Est-ce que l'épicier est dans l'épicerie? — Oui, il est dans l'épicerie.
Est-ce qu'il parle à Marie? — Oui, il parle à Marie. Ou: Oui, il lui parle. (Répétez)
Et elle, est-ce qu'elle parle à l'épicier? Est-ce qu'elle lui parle? — Oui, elle lui parle. (Répétez)
Et vous, est-ce que vous lui parlez? — Non, je ne lui parle pas.
Parlez-vous à Marie? — Non, je ne lui parle pas.
Et moi, est-ce que je parle à Marie? — Non, vous ne lui parlez pas non plus. (Répétez)
Alors, nous ne lui parlons pas, n'est-ce pas? — Non, nous ne lui parlons pas. (Répétez)

Bien.

Écoutez Marie!

—Une bouteille de lait, s'il vous plaît.

Est-ce qu'elle prend du vin? — Non, elle ne prend pas de vin. (Répétez)
Est-ce qu'elle prend du pain? — Non, elle ne prend pas de pain non plus.
Prend-elle des allumettes? — Non, elle ne prend pas d'allumettes non plus.

—Une bouteille de lait, s'il vous plaît.

Est-ce qu'elle prend quelque chose? — Oui, elle prend quelque chose.
Qu'est-ce qu'elle prend? — Elle prend une bouteille de lait.

Maintenant écoutez l'épicier.

—Une bouteille de lait pour mademoiselle. Voilà. Voilà.

Est-ce que l'épicier donne du lait à Marie? — Oui, il lui donne du lait.
Est-ce qu'il lui donne une bouteille de lait? — Oui, il lui donne une bouteille de lait.

Écoutez!

—Quelque chose d'autre, mademoiselle?
—Oui, un petit fromage rouge, s'il vous plaît.

Est-ce qu'elle prend quelque chose d'autre? — Oui, elle prend quelque chose d'autre. (Répétez)
Que prend-elle d'autre? Du pain? — Non, elle ne prend pas de pain. (Répétez)
Qu'est-ce qu'elle prend? — Elle prend un petit fromage rouge.

—Rien d'autre, mademoiselle?
—Oh! Si, un kilo de sucre, s'il vous plaît.
—Voilà.

L'épicier lui donne-t-il du sucre?	Oui, il lui donne du sucre.
Lui donne-t-il un kilo de sucre?	Oui, il lui donne un kilo de sucre.

Écoutez maintenant, mais ne répétez pas, s'il vous plaît.
Écoutez Marie et l'épicier.

—Bonjour, monsieur.
—Bonjour, Mlle Duval.
—Une bouteille de lait, s'il vous plaît.
—Voilà, mademoiselle. Quelque chose d'autre?
—Oui, un petit fromage rouge.
—Bon! Rien d'autre, mademoiselle?
—Oh! Si, un kilo de sucre, s'il vous plaît.
—Et voilà! Merci, mademoiselle. Au revoir, mademoiselle.
—Au revoir, monsieur.

Marie va à la maison. Elle ouvre son paquet.

—Mais, qu'est-ce que c'est que ça? Du café? Du vin? Ce n'est pas mon paquet! Ah! Monsieur l'épicier, vous ne savez pas ce que vous faites!

La huitième bande est terminée.
Au revoir et merci.

Bande Numéro 9

Est-ce que vous écoutez?	Oui, j'écoute.
Est-ce que vous m'écoutez?	Oui, je vous écoute.
Et hier? Est-ce que vous m'avez écouté hier?	Oui, je vous ai écouté hier. (Répétez)
Est-ce que vous avez répondu hier?	Oui, j'ai répondu hier.
Est-ce que vous m'avez répondu?	Oui, je vous ai répondu. (Répétez)
Bien.	

Maintenant écoutez Pierre et Marie!

—Bonjour, Marie!
—Bonjour, Pierre. Où allons-nous aujourd'hui?
—À l'Arc de Triomphe, Marie.

Est-ce que Pierre a parlé?	Oui, il a parlé. (Répétez)
Est-ce que Marie a parlé aussi?	Oui, elle a parlé aussi.
Est-ce que Pierre a parlé à Marie?	Oui, il lui a parlé. (Répétez)
Est-ce qu'il lui a parlé en français?	Oui, il lui a parlé en français.
Et elle, est-ce qu'elle lui a parlé en anglais?	Non, elle ne lui a pas parlé en anglais. (Répétez)

—Allons à l'Arc de Triomphe en autobus. D'accord?
—D'accord.

Est-ce qu'ils vont à la Tour Eiffel?	Non, ils ne vont pas à la Tour Eiffel.
Où vont-ils, au Sacré-Coeur ou à l'Arc de Triomphe?	Ils vont à l'Arc de Triomphe.

—Allons-y en autobus.

Est-ce qu'ils y vont à pied? — Non, ils n'y vont pas à pied.
Est-ce qu'ils y vont en taxi? — Non, ils n'y vont pas en taxi.
Comment y vont-ils? — Ils y vont en autobus. (Répétez)

Écoutez!

—Où est l'autobus?
—Il arrive dans 5 minutes.

Est-ce que l'autobus est arrivé? — Non, il n'est pas arrivé.
Est-ce qu'il arrive dans 10 minutes? — Non, il n'arrive pas dans 10 minutes.
Arrive-t-il dans 30 minutes ou dans 5 minutes? — Il arrive dans 5 minutes.

—Il arrive dans 5 minutes. Attendons ici!

Ils attendent, n'est-ce pas? — Oui, ils attendent.
Est-ce qu'ils attendent le métro? — Non, ils n'attendent pas le métro.
Qu'est-ce qu'ils attendent? — Ils attendent l'autobus.
Et vous. L'attendez-vous aussi? — Non, je ne l'attends pas.
Et moi? Non, . . . — Non, vous ne l'attendez pas non plus.
Non, nous ne l'attendons pas. (Répétez)

Écoutez!

—Ah! Le voilà qui arrive! Montez, Marie!

Est-ce que l'autobus est arrivé? — Oui, il est arrivé.
Est-ce que Pierre et Marie le prennent? — Oui, ils le prennent. (Répétez)

—Montez, montez, Marie!

Est-ce que Marie monte dans l'autobus? — Oui, elle monte dans l'autobus. (Répétez)
Est-ce que Pierre monte dans l'autobus après elle? — Oui, il monte dans l'autobus après elle.

Écoutez! Pierre et Marie sont-ils montés dans l'autobus? — Oui, ils sont montés dans l'autobus. Ou: Oui, ils y sont montés. (Répétez)

—Arc de Triomphe.
—Ah! Nous y sommes! Venez, Marie! Descendez!

Sont-ils arrivés? — Oui, ils sont arrivés.
Où est-ce qu'ils sont arrivés? — Ils sont arrivés à l'Arc de Triomphe. (Répétez)

—Regardez, Marie. Voilà l'Arc de Triomphe!

Qu'est-ce qu'ils regardent? — Ils regardent l'Arc de Triomphe.
Regardent-ils aussi les Champs-Elysées? Oui, . . . — Oui, ils regardent aussi les Champs-Elysées. (Répétez)

—Maintenant, descendons les Champs-Elysées.

Qu'est-ce qu'ils font maintenant? — Ils descendent les Champs-Elysées.
Bon.

Maintenant, répondez, s'il vous plaît!

Est-ce que Pierre est resté à la maison?	Non, il n'est pas resté à la maison.
Est-il sorti?	Oui, il est sorti.
Est-il sorti avec vous?	Non, il n'est pas sorti avec moi.
Est-il sorti avec moi?	Non, il n'est pas sorti avec vous non plus.
Alors, il n'est pas sorti avec nous?	Non, il n'est pas sorti avec nous.
Avec qui est-il sorti?	Il est sorti avec Marie.
Bon.	
Pierre a-t-il une voiture? Non, . . .	Non, il n'a pas de voiture.
Sont-ils allés à l'Arc de Triomphe à pied?	Non, ils ne sont pas allés à l'Arc de Triomphe à pied.
Ont-ils pris un taxi ou l'autobus?	Ils ont pris l'autobus.
Mais vous. Vous êtes resté à la maison, n'est-ce pas? Oui, . . .	Oui, je suis resté à la maison.
Êtes-vous sorti avec Pierre?	Non, je ne suis pas sorti avec Pierre.
Êtes-vous monté dans l'autobus?	Non, je ne suis pas monté dans l'autobus.
Êtes-vous monté sur l'Arc de Triomphe hier?	Non, je ne suis pas monté sur l'Arc de Triomphe hier.
Alors, vous êtes resté devant votre magnétophone?	Oui, je suis resté devant mon magnétophone.

Ah! C'est bien!

Maintenant je vous dis au revoir et merci.
La neuvième bande est terminée.

Bande Numéro 10

Répétez: Mademoiselle Duval est à la maison.
Elle est à la maison. (Répétez)

Elle est chez elle, n'est-ce pas?	Oui, elle est chez elle.
Et vous, est-ce que vous êtes chez elle? Non, . . .	Non, je ne suis pas chez elle.
Êtes-vous chez moi? Non, . . .	Non, je ne suis pas chez vous.
Êtes-vous chez vous? Oui, . . .	Oui, je suis chez moi.
Est-ce que Pierre est chez vous?	Non, il n'est pas chez moi.
Où est-il? Chez lui?	Oui, il est chez lui.
Très bien.	

Pierre est chez lui. (Répétez)
Il prend son petit déjeuner. (Répétez)

Prend-il du café? Oui, . . .	Oui, il prend du café.
Et vous, buvez-vous du café à la maison?	Oui, je bois du café à la maison.
Buvez-vous du vin? Oui, . . .	Oui, je bois du vin.
Buvez-vous de l'eau? Oui, . . .	Oui, je bois de l'eau.
Buvez-vous de la bière? Oui, . . .	Oui, je bois de la bière.
Très bien.	
Est-ce que le pain français est bon?	Oui, il est bon. Il est très bon. (Répétez)
Mangez-vous du pain?	Oui, je mange du pain.
Le fromage est bon. (Répétez)	Je mange du fromage. (Répétez)

Le camembert est bon. (Répétez) Je mange du . . .	Je mange du camembert.
La soupe est bonne. Je . . .	Je mange de la soupe.
La viande est bonne. Je . . .	Je mange de la viande.
Les petits pains sont bons. Et . . .	Je mange des petits pains.
Les croissants sont bons. Et . . .	Je mange des croissants.

C'est bien. C'est très bien!

Maintenant écoutez!

M. Duval est au restaurant.
Lui aussi, il prend son petit déjeuner.

—Monsieur, s'il vous plaît.
—Monsieur?
—Un café-crème et deux croissants, s'il vous plaît.
—Bien, monsieur.

M. Duval est-il chez lui?	Non, il n'est pas chez lui.
Où est-il?	Il est au restaurant.

—Un café-crème.

Est-ce qu'il demande un café noir?	Non, il ne demande pas de café noir.
Il demande un café-crème, n'est-ce pas?	Oui, il demande un café-crème.

—Et deux croissants.

Est-ce qu'il demande un sandwich?	Non, il ne demande pas de sandwich.
Qu'est-ce qu'il demande, des brioches ou des croissants?	Il demande des croissants.
Combien de croissants mange-t-il, un ou deux?	Il mange deux croissants.

Répétez:	des croissants	— deux croissants
	des brioches	— deux brioches
	des petits pains	— deux petits pains
	des oeufs	— deux oeufs

Bien!

Maintenant, écoutez Mme Brown.
Elle aussi est au restaurant.
Voilà le garçon.

—Et pour vous, madame?
—Deux oeufs sur le plat, s'il vous plaît.
—Pardon, madame, excusez-moi, je n'ai pas entendu.

Le garçon a-t-il entendu?	Non, il n'a pas entendu.
Et vous. Avez-vous entendu? Non, . . .	Non, je n'ai pas entendu.
Avez-vous vu Mme Brown?	Non, je ne l'ai pas vue. (Répétez)
Lui avez-vous parlé?	Non, je ne lui ai pas parlé.
Lui avez-vous téléphoné?	Non, je ne lui ai pas téléphoné.
Lui avez-vous posé une question?	Non, je ne lui ai pas posé de question. (Répétez)

Bien!

Écoutez!

—Pardon, madame, excusez-moi, je n'ai pas entendu. Qu'est-ce que vous avez demandé?
—J'ai demandé deux oeufs sur le plat, s'il vous plaît.
—Oh!

Est-ce que Mme Brown a répété?	Oui, elle a répété.
A-t-elle demandé des croissants?	Non, elle n'a pas demandé de croissants.
A-t-elle demandé des brioches?	Non, elle n'a pas demandé de brioches.
Qu'est-ce qu'elle a demandé? Des oeufs?	Oui, elle a demandé des oeufs.
Combien d'oeufs a-t-elle demandés?	Elle a demandé deux oeufs.
Deux oeufs sur le plat?	Oui, deux oeufs sur le plat.

Écoutez encore.

—Deux oeufs et du pain, s'il vous plaît.

Est-ce qu'elle demande des croissants ou du pain?	Elle demande du pain.
Elle demande deux oeufs avec du pain, n'est-ce pas?	Oui, elle demande deux oeufs avec du pain.
Alors elle a faim?	Oui, elle a faim.

Écoutez!

—Et apportez-moi aussi un jus d'orange.
—Un jus d'orange. Oui, madame.
—Un grand jus d'orange.

Est-ce que cette dame boit quelque chose?	Oui, elle boit quelque chose.
Est-ce qu'elle boit un jus de tomate?	Non, elle ne boit pas de jus de tomate.
Est-ce qu'elle boit un café?	Non, elle ne boit pas de café.
Alors, qu'est-ce qu'elle boit? Un jus d'orange?	Oui, elle boit un jus d'orange.
Alors, elle a soif?	Oui, elle a soif.

Répétez: Elle a soif et elle boit un jus d'orange.

Est-ce que les Américains boivent beaucoup de jus d'orange? Oui, . . .	Oui, ils boivent beaucoup de jus d'orange. Ou: Ils en boivent beaucoup. (Répétez)
Est-ce que les Français boivent beaucoup de jus d'orange?	Non, ils n'en boivent pas beaucoup. (Répétez)
Est-ce que les Français boivent beaucoup de vin?	Oui, ils en boivent beaucoup.

Répondez avec "en"!

Buvez-vous du vin?	Oui, j'en . . .	Oui, j'en bois.
	Ou: Non, je n'en . . .	Non, je n'en bois pas.
Buvez-vous de l'eau?	Oui, . . .	Oui, j'en bois.
	Ou: Non, . . .	Non, je n'en bois pas.
Mettez-vous de l'eau dans le vin? Oui, . . .		Oui, j'en mets.
Ou: Non, . . .		Non, je n'en mets pas.
Est-ce que nous avons parlé du petit déjeuner?		Oui, nous en avons parlé.
Avons-nous parlé de politique?		Non, nous n'en avons pas parlé.

C'est ça! Très bien.
Notre dixième bande est terminée.
Au revoir et merci.

Bande Numéro 11

Est-ce que les oranges sont bonnes à manger?	Oui, elles sont bonnes à manger.
Mangez-vous des oranges? Oui, . . .	Oui, je mange des oranges. Ou: Oui, j'en mange.
Est-ce que vous en mangez beaucoup? Oui, . . .	Oui, j'en mange beaucoup.
Alors, vous aimez les oranges, n'est-ce pas?	Oui, j'aime les oranges. Ou: Oui, je les aime.
Et les fraises? Sont-elles bonnes aussi?	Oui, elles sont bonnes aussi.
Est-ce que vous en mangez? Oui, . . .	Oui, j'en mange.
En mangez-vous beaucoup? Oui, . . .	Oui, j'en mange beaucoup.
Alors, vous les aimez beaucoup, n'est-ce pas?	Oui, je les aime beaucoup.
Qu'est-ce que vous aimez mieux, les fraises ou les oranges?	J'aime mieux les fraises. Ou: J'aime mieux les oranges.
M. Duval préfère les fraises, n'est-ce pas?	Oui, il préfère les fraises. Ou: Oui, il les préfère.
Moi, je les préfère aussi.	
Lui et moi, est-ce que nous les préférons? Oui, vous . . .	Oui, vous les préférez.

Répétez: Vous préférez les fraises aux oranges.
Vous aimez mieux les fraises.

Maintenant écoutez ceci:

—C'est une table pour quatre? Pour deux, alors?
—La liste des vins, s'il vous plaît.
—Pardon. Voilà.

Est-ce que nous sommes au cinéma?	Non, nous ne sommes pas au cinéma.
Où sommes-nous, dans la rue ou au restaurant?	Nous sommes au restaurant.

Et voilà Pierre et Marie. Écoutez!

—Le menu, s'il vous plaît.
—Voilà, monsieur.
—Regardez le menu, Marie.
—Moi, je voudrais . . . je voudrais . . .

Est-ce que Pierre est au restaurant?	Oui, il est au restaurant.
Il est allé au restaurant avec Marie, n'est-ce pas?	Oui, il est allé au restaurant avec Marie. Ou: Oui, il y est allé avec Marie. (Répétez)

—Le menu, s'il vous plaît.

Qui a demandé le menu?	C'est Pierre qui a demandé le menu.
Qui a apporté le menu?	C'est le garçon qui a apporté le menu.
Est-ce que le garçon lui a donné le menu?	Oui, il lui a donné le menu.

—Moi, je voudrais . . . je voudrais . . .

Est-ce Marie qui parle maintenant?	Oui, c'est Marie qui parle maintenant.
Qu'est-ce qu'elle regarde? Le menu? Oui, . . .	Oui, elle regarde le menu.
Que dit-elle?	Elle dit: "Je voudrais . . . je voudrais . . . "

— *. . . des hors-d'oeuvres? Non. Un potage? Oui, je voudrais une soupe à la tomate.*

Est-ce qu'elle a commandé quelque chose? — Oui, elle a commandé quelque chose.
A-t-elle commandé une soupe de poisson? — Non, elle n'a pas commandé une soupe de poisson.

—*Tiens. Moi aussi. J'aime beaucoup ça! Alors deux soupes à la tomate.*
—*Bien, monsieur.*

Combien de soupes prennent-ils? — Ils prennent deux soupes.
Ou: Ils en prennent deux. (Répétez)

—*Pour commencer, deux soupes à la tomate et ensuite deux bifteks.*

Qu'est-ce qu'ils prennent pour commencer? — Ils prennent deux soupes à la tomate pour commencer.
Et ensuite? Prennent-ils une omelette? — Non, ils ne prennent pas d'omelette.
Ou: Ils n'en prennent pas. (Répétez)

— *. . . ensuite deux bifteks.*

Prennent-ils du poisson? — Non, ils ne prennent pas de poisson.
Qu'est-ce qu'ils prennent? — Ils prennent deux bifteks.
Est-ce qu'ils préfèrent le biftek? — Oui, ils préfèrent le biftek.
Est-ce qu'ils le préfèrent au poisson? — Oui, ils le préfèrent au poisson.
Bon.

Écoutez encore ceci.

Pierre commande quelque chose à boire.

—*Et comme boisson, monsieur?*
—*Ah! Oui! Je voudrais une bouteille de Bordeaux.*
—*Une bouteille de Bordeaux. Bien, monsieur.*

Est-ce qu'ils prennent une bouteille de Beaujolais? — Non, ils ne prennent pas de bouteille de Beaujolais.
Demandent-ils un vin d'Alsace? — Non, ils ne demandent pas de vin d'Alsace.
Commandent-ils un Chablis? — Non, ils ne commandent pas de Chablis.

—*Une bouteille de . . . de . . . une bouteille de Bordeaux.*

Quel vin prennent-ils? Du Bordeaux? — Oui, ils prennent du Bordeaux.
C'est le vin qu'ils préfèrent, n'est-ce pas? — Oui, c'est le vin qu'ils préfèrent.
Est-ce qu'ils en boivent? Oui, . . . — Oui, ils en boivent.

Écoutez!

—*À votre santé, Pierre.*
—*À la vôtre, Marie.*

En général, les Français aiment boire, n'est-ce pas? — Oui, ils aiment boire. (Répétez)
Est-ce qu'ils préfèrent le vin à la bière? Oui, . . . — Oui, ils préfèrent le vin à la bière.
Mais est-ce qu'ils préfèrent le thé au café? Non, . . . — Non, ils ne préfèrent pas le thé au café.
Ils préfèrent le café au thé. (Répétez)

C'est ça! Très bien.

Est-ce que Pierre a demandé l'addition?
Non, . . .
Non, il n'a pas demandé l'addition.

Alors, écoutez, s'il vous plaît.

—Euh! Monsieur, s'il vous plaît. Apportez- nous l'addition.
—Tout de suite, monsieur.

Et maintenant, a-t-il demandé l'addition?
Oui, il a demandé l'addition.
Ou: Oui, il l'a demandée. (Répétez)

Le garçon va-t-il apporter l'addition?
Oui, il va apporter l'addition.
Ou: Oui, il va l'apporter. (Répétez)

En effet:

—Voilà l'addition. Ça fait 40 francs.

A-t-il apporté l'addition?
Oui, il l'a apportée.

A-t-il demandé un pourboire?
Non, il n'a pas demandé de pourboire.

Eh bien, la onzième bande est terminée.

Merci et au revoir.

Bande Numéro 12

Écoutez un peu.

—Si c'est pour ça que vous êtes venu j'ai le regret de vous dire que je ne dispose plus d'une seule chambre.

Avez-vous écouté?
Oui, j'ai écouté.

—Si c'est pour ça que vous êtes venu j'ai le regret de vous dire que je ne dispose plus d'une seule chambre.

Bien. Répétez, s'il vous plaît.

Ah, vous ne pouvez pas répéter?
Non, je ne peux pas répéter.

Vous n'avez pas compris?
Non, je n'ai pas compris.

Alors, pourquoi ne pouvez-vous pas répéter?
Je ne peux pas répéter parce que je n'ai pas compris.

Bon. Est-ce que vous écoutez?
Oui, j'écoute.

Est-ce que vous écoutez une bande en japonais ou en français?
J'écoute une bande en français.

C'est pour apprendre cette langue, n'est-ce pas?
Oui, c'est pour apprendre cette langue.

Ah, vous voulez apprendre le français?
Mais oui, . . .
Mais oui, je veux apprendre le français.

Ou voulez-vous apprendre le japonais?
Non, . . .
Non, je ne veux pas apprendre le japonais.

Moi, je veux aller à Tokyo.
Quelle langue est-ce que je dois apprendre?
Vous devez apprendre le japonais.

Pierre, lui, veut aller à Londres. Quelle langue doit-il apprendre?	Il doit apprendre l'anglais.
Très bien.	
Oui, il doit apprendre l'anglais.	
Répétez: je dois	
il . . .	il doit
elle . . .	elle doit
nous . . .	nous devons
vous . . .	vous devez
ils (pluriel) . . .	ils doivent
Maintenant le verbe vouloir.	
je . . .	je veux
vous . . .	vous voulez
Pierre . . .	Pierre veut
Marie . . .	Marie veut
nous . . .	nous voulons
Pierre et Marie . . .	Pierre et Marie veulent. (Répétez)
Maintenant le verbe pouvoir.	
il . . .	il peut
elle . . .	elle peut
je . . .	je peux
vous . . .	vous pouvez
nous . . .	nous pouvons
ils (pluriel) . . .	ils peuvent (Répétez)
Bien.	
Pouvez-vous me donner une cigarette? Oui, . . .	Oui, je peux vous donner une cigarette.
Pouvez-vous me donner une allumette?	Oui, je peux vous donner une allumette.
Pouvez-vous me donner une cassette? Oui, . . .	Oui, je peux vous donner une cassette.
Mais est-ce que vous voulez me donner une cassette? Non, . . .	Non, je ne veux pas vous donner de cassette.
Ah? Bon! Très bien.	
Écoutez. Mon prénom est Marcel.	
Est-ce que je vous dis quelque chose?	Oui, vous me dites quelque chose.
Est-ce que je vous dis mon prénom?	Oui, vous me dites votre prénom.
Est-ce que je peux vous dire mon prénom? Oui, vous . . .	Oui, vous pouvez me dire votre prénom.
Est-ce que je peux vous donner mon adresse?	Oui, vous pouvez me donner votre adresse.

Maintenant, écoutez Pierre et Marie.

—Bonjour, Marie.
—Bonjour, Pierre.
—Dites-moi, Marie . . .
—Oui?
—Pouvez-vous me donner l'adresse de votre directeur?
—Oui, voilà.

À qui Pierre parle-t-il?	Il parle à Marie.
Est-ce qu'il lui demande quelque chose?	Oui, il lui demande quelque chose.
Il lui demande une adresse, n'est-ce pas?	Oui, il lui demande une adresse.
Est-ce qu'il lui demande l'adresse de son directeur?	Oui, il demande l'adresse de son directeur.

—Voilà. Tenez Pierre.
—Merci.

Est-ce que Marie peut lui donner l'adresse de son directeur?	Oui, elle peut lui donner l'adresse de son directeur. (Répétez)
Est-ce qu'elle lui donne cette adresse?	Oui, elle lui donne cette adresse.
Et vous. Pouvez-vous me donner l'adresse du directeur?	Non, je ne peux pas vous donner l'adresse du directeur.

Bien! Très bien!

Écoutez.

—Mais Pierre . . . Pourquoi voulez-vous l'adresse de mon directeur?
—Parce que je dois lui parler.

Est-ce que Pierre doit parler à quelqu'un?	Oui, il doit parler à quelqu'un.
Doit-il vous parler?	Non, il ne doit pas me parler.
Doit-il me parler?	Non, il ne doit pas vous parler.
Doit-il parler au père de Marie?	Non, il ne doit pas parler au père de Marie.
À qui doit-il parler?	Il doit parler au directeur.
Est-ce qu'il veut lui téléphoner?	Non, il ne veut pas lui téléphoner.
Alors, il veut lui parler en personne?	Oui, il veut lui parler en personne.

Écoutez encore ceci:

—Mais Pierre . . .
—Oui?
—Pourquoi? Pourquoi devez-vous parler à mon directeur?
—Parce que je veux travailler avec lui.

Est-ce que Pierre veut travailler?	Oui, il veut travailler.
Avec qui veut-il travailler?	Il veut travailler avec le directeur de Marie. (Répétez)
Alors il doit lui parler?	Oui, il doit lui parler.

Répétez: Il doit lui parler parce qu'il veut travailler avec lui.

—Vous dites . . . vous dites que vous voulez travailler avec mon directeur!
—Eh oui, Marie.
—Mais je ne comprends pas. Pourquoi?
—Pour pouvoir être près de vous, Marie.
—Oh, Pierre . . .

Alors il veut être près de Marie?	Oui, il veut être près d'elle. (Répétez)
Il veut travailler près d'elle, n'est-ce pas?	Oui, il veut travailler près d'elle.
Eh eh! Est-ce que Pierre aime Marie?	Oui, il l'aime. (Répétez)
Il l'aime, n'est-ce pas?	Oui, il l'aime.
Ah! C'est beau l'amour!	

Maintenant écoutez, s'il vous plaît.

—Bonjour, Marie.
—Bonjour, Pierre.
—Dites-moi, Marie.
—Oui?
—Pouvez-vous me donner l'adresse de votre directeur?
—Oui. La voilà. Tenez Pierre.
—Merci.
—Mais Pierre . . . pourquoi voulez-vous l'adresse de mon directeur?
—Parce que je dois lui parler.
—Pourquoi? Pourquoi devez-vous lui parler?
—Parce que je veux travailler avec lui.
—Ah! Vous dites . . . vous dites que vous voulez travailler avec mon directeur?
—Eh oui, Marie.
—Mais je ne comprends pas. Pourquoi?
—Pour pouvoir être près de vous, Marie.
—Oh! Pierre . . .

Et voilà!
Nous avons terminé la douzième bande.
Au revoir et merci.

Bande Numéro 13

Bonjour! Comment allez-vous? — Bien, merci. Et vous?
Ça va, merci.

Bon. Écoutez et répétez.

Pierre est dans une cabine téléphonique.

(Il fait le numéro.)

Est-ce qu'il téléphone? — Oui, il téléphone.
Il donne un coup de téléphone, n'est-ce pas? — Oui, il donne un coup de téléphone. (Répétez)

—Allô! Allô!
—Je voudrais parler à M. Dubois, s'il vous plaît.
—Dubois? C'est une erreur. Il n'y a pas de Dubois ici.

Répétez: C'est une erreur.

Est-ce que Pierre a fait erreur? — Oui, il a fait erreur. (Répétez)

—Je voudrais parler à M. Dubois.

À qui veut-il parler? — Il veut parler à M. Dubois.
Est-ce que M. Dubois a répondu? — Non, ce n'est pas M. Dubois qui a répondu.

Répétez: Pierre n'a pas son numéro.
(Répétez)
Mais il peut le demander, n'est-ce pas?
Oui, . . . — Oui, il peut le demander.
Peut-il le demander aux renseignements?
Oui, . . . — Oui, il peut le demander aux renseignements. (Répétez)

—Voyons! Renseignements. Ah, voilà!

(Il fait le numéro.)

Est-ce que Pierre donne un autre coup de téléphone? — Oui, il donne un autre coup de téléphone.
Fait-il un autre numéro? — Oui, il fait un autre numéro.
Fait-il le numéro de la police ou des renseignements? — Il fait le numéro des renseignements.

—Renseignements. Renseignements. J'écoute.
—Allô, renseignements?
—Oui, oui, j'écoute.
—Mademoiselle, je voudrais le numéro de téléphone de M. Dubois.

Est-ce que Pierre demande quelque chose? — Oui, il demande quelque chose.
Qu'est-ce qu'il demande? — Il demande le numéro de téléphone de M. Dubois. (Répétez)
Pardon, le numéro de qui? — Le numéro de M. Dubois.
Ah!

—Dubois, Dubois. Il y a 3 pages de Dubois!
—Jean-Paul Dubois.
—Jean-Paul Dubois. Quelle adresse?

Quel est le prénom de M. Dubois? — Son prénom est Jean-Paul.
Est-ce que la téléphoniste a entendu? — Oui, elle a entendu. (Répétez)
Est-ce qu'elle a demandé son adresse aussi? — Oui, elle a demandé son adresse aussi.

Bien!

—DAN 03-14.
—DAN 03-14. Merci, mademoiselle.
—De rien, monsieur.

Est-ce que la téléphoniste a donné un renseignement à Pierre? — Oui, elle lui a donné un renseignement.
Lui a-t-elle donné le numéro de M. Dubois? — Oui, elle lui a donné le numéro de M. Dubois.

—DAN 03-14.

Quel est son numéro? — Son numéro est DAN 03-14.
Est-ce que Pierre l'a bien entendu? — Oui, il l'a bien entendu.
Et vous? L'avez-vous entendu aussi? — Oui, je l'ai entendu aussi.

—De rien, monsieur.

Est-ce que la téléphoniste a raccroché? — Oui, elle a raccroché.
Est-ce que Pierre a raccroché aussi? — Oui, il a raccroché aussi.
Très bien.

Maintenant Pierre peut téléphoner à M. Dubois, n'est-ce pas? — Oui, il peut lui téléphoner.

—DAN 03-14.

Est-ce que Pierre fait son numéro? — Oui, il fait son numéro.
Fait-il le numéro des renseignements? — Non, il ne fait pas le numéro des renseignements.
Il fait le numéro de qui? — Il fait le numéro de M. Dubois.
Bon!

Écoutez!

—Allô. Ici Pierre. Qui est à l'appareil?
—Ah, bonjour Pierre. Ici M. Dubois.

Est-ce que Pierre a dit son prénom?	Oui, il a dit son prénom.
A-t-il dit son nom?	Non, il n'a pas dit son nom.
Mais d'abord, a-t-il dit "Allô"? Oui, d'abord . . .	Oui, d'abord il a dit "Allô".
Et ensuite ("Ici, Pierre . . . ") qu'est-ce qu'il a dit?	Ensuite il a dit "Ici, Pierre".
Et enfin ("Qui est à l'appareil?") qu'est-ce qu'il a demandé?	Enfin il a demandé "Qui est à l'appareil?". (Répétez)

—Allô. Attendez, Pierre. Quelqu'un frappe à la porte. Ne quittez pas, Pierre, ne quittez pas.
—Bon, j'attends.

Est-ce que Pierre raccroche?	Non, il ne raccroche pas.
Est-ce qu'il attend?	Oui, il attend.
Qui lui dit d'attendre?	C'est M. Dubois qui lui dit d'attendre.
Et qui lui dit de ne pas quitter?	C'est M. Dubois qui lui dit de ne pas quitter. (Répétez)

Très bien.

Maintenant M. Dubois revient au téléphone.

—Ah! Voila! Ça y est. Je suis à vous.
—M. Dubois, je vous téléphone de la part de mon père.

Est-ce que Pierre téléphone de la part de sa mère?	Non, il ne téléphone pas de la part de sa mère.
Alors, il téléphone de la part de qui?	Il téléphone de la part de son père.
Est-ce que Pierre doit dire quelque chose à M. Dubois?	Oui, il doit lui dire quelque chose. (Répétez)

—M. Dubois, je vous téléphone de la part de mon père.
—Il va bien, j'espère?
—Oui, il va très bien, mais il ne pourra pas venir chez vous demain. Il viendra samedi soir.

Bon!

Qui est-ce qui ira chez M. Dubois?	C'est le père de Pierre qui ira chez M. Dubois.
Quel jour ira-t-il chez M. Dubois? Samedi?	Oui, il ira chez M. Dubois samedi.
Samedi matin ou samedi soir?	Samedi soir.

—D'accord, Pierre. C'est entendu. Et merci!
—Au revoir, monsieur.
—Au revoir, Pierre.

Bon. Voilà pour le coup de téléphone.
Et maintenant, un petit exercice sur le futur.

Répétez: Jacque ne vient pas aujourd'hui,
mais il viendra demain.
Répétez: Nous ne venons pas aujourd'hui,
Répétez: mais nous viendrons demain.

Je ne viens pas aujourd'hui, mais . . .	mais je viendrai demain.
Vous ne venez pas aujourd'hui, mais . . .	mais vous viendrez demain.
Ils ne viennent pas aujourd'hui, mais . . .	mais ils viendront demain.

Et le dernier exercice de cette bande.

Aujourd'hui je vais au bureau. Et demain?	Demain j'irai au bureau.
Il va au bureau. Et demain?	Demain il ira au bureau.
Nous allons au bureau. Et demain?	Demain nous irons au bureau.
Ils vont au bureau. Et demain?	Demain ils iront au bureau.

Elle ne va pas au bureau. Et demain?	Demain elle n'ira pas au bureau.
Ça ne va pas. Et . . .	Ça n'ira pas.
Ça va très bien. Et . . .	Ça ira très bien.

Et voilà! Ça ira comme ça pour aujourd'hui.
La treizième bande est terminée.
Au revoir et merci.

Bande Numéro 14

(pendule)

Qu'est-ce que c'est, une montre ou une pendule?	C'est une pendule.

(montre)

Et ça, qu'est-ce que c'est?	Ça, c'est une montre.

Écoutez!

Il est deux heures, n'est-ce pas?	Oui, il est deux heures.

Écoutez!

(réveil)

C'est un réveil, n'est-ce pas?	Oui, c'est un réveil.
Est-ce que vous vous réveillez? Oui, . . .	Oui, je me réveille.
Et moi. Est-ce que je me réveille? Oui, . . .	Oui, vous vous réveillez.
Est-ce que nous nous réveillons?	Oui, nous nous réveillons.
Et M. Duval. Est-ce qu'il se réveille? Oui, . . .	Oui, il se réveille.
Madame Duval, est-ce qu'elle se réveille?	Oui, elle se réveille.
M. et Mme Duval, se réveillent-ils?	Oui, ils se réveillent.
Très bien.	

Moi, je me réveille . . . (Répétez)
Et je me lève. (Répétez)

Et M. Duval? Il se réveille et . . .	Il se réveille et il se lève.
Mme Duval? Elle . . .	Elle se réveille et elle se lève.
Nous . . .	Nous nous réveillons et nous nous levons.
Vous . . .	Vous vous réveillez et vous vous levez.
Et les enfants? Ils . . .	Ils se réveillent et ils se lèvent.

Bien. Maintenant écoutez.

Chuuut! Pierre dort. (Répétez)

(tic tac)

Pierre a-t-il un réveil? Oui, . . .	Oui, il a un réveil.
Son réveil marche-t-il?	Oui, il marche.
Écoutez-le sonner!	

Écoutez-vous sonner le réveil?	Oui, j'écoute sonner le réveil. Ou: Oui, je l'écoute sonner. (Répétez)
Il sonne pendant longtemps, n'est-ce pas?	Oui, il sonne pendant longtemps.

Écoutez!

Ah! Le réveil s'est arrêté de sonner!

Il s'est arrêté de sonner, n'est-ce pas?	Oui, il s'est arrêté de sonner.

Mais écoutez!

(respiration)

Pierre dort encore, n'est-ce pas? Oui, . . .	Oui, il dort encore.
A-t-il entendu le réveil?	Non, il ne l'a pas entendu.
Il ne l'a pas entendu sonner?	Non, il ne l'a pas entendu sonner.

Oh la-la! Maintenant il est 9h . . . !
10h . . .! 11h . . .!

Répétez: Et Pierre qui dort encore!

Mais écoutez. Voilà le père de Pierre.

—Pierre, Pierre. Il est tard.
—Oh! Déjà 11 heures! Mon Dieu, je n'ai pas entendu sonner le réveil.

Pierre s'est réveillé, n'est-ce pas?	Oui, il s'est réveillé.
Répétez: Il s'est enfin réveillé.	

À quelle heure s'est-il réveillé?	Il s'est réveillé à 11 heures.
Euh . . . et maintenant, il se lève. (Répétez)	

Écoutez-le!

—Mon Dieu! 11 heures! 11 heures!

Est-ce qu'il se lève tôt?	Non, il ne se lève pas tôt.
Se lève-t-il tôt ou tard?	Il se lève tard.
Il aime beaucoup dormir, n'est-ce pas?	Oui, il aime beaucoup dormir.
Et vous. Aimez-vous dormir? Oui, . . .	Oui, j'aime dormir.
Et le matin on se réveille, n'est-ce pas?	Oui, le matin on se réveille.
Et ensuite on se lève du lit, n'est-ce pas?	Oui, ensuite on se lève du lit.
Vous levez-vous le matin?	Oui, je me lève le matin.
Vous levez-vous à 11 heures? Non, . . .	Non, je ne me lève pas à 11 heures.
Vous levez-vous plus tard que Pierre? Non, . . .	Non, je ne me lève pas plus tard que Pierre.

Ah bon! C'est bien!

Écoutez-le! Il se lève.

—11 heures. Oh! 11 heures. Tsss!! J'ai trop dormi. Je suis en retard pour mon travail.

Pierre doit-il aller travailler?	Oui, il doit aller travailler.
Est-ce que Pierre doit aller au bureau? Oui, . . .	Oui, il doit aller au bureau.
Et vous. Est-ce que vous devez aller travailler?	Oui, je dois aller travailler.
Et moi aussi, vous savez!	

Bon! Continuons!

Répétez: Pierre sort de chez lui.

Écoutez!

—Je vais être en retard! Je vais être en retard au bureau.

Qui va être en retard, vous, moi . . . ou Pierre? — C'est Pierre qui va être en retard.
Alors, va-t-il être à l'heure? — Non, il ne va pas être à l'heure.
Sera-t-il au bureau à 9 heures? — Non, il ne sera pas au bureau à 9 heures.
Arrivera-t-il en retard? — Oui, il arrivera en retard.
Très en retard? — Oui, il arrivera très en retard.

Eh! Oui. Il a trop dormi, n'est-ce pas? — Oui, il a trop dormi.
Il ne faut pas trop dormir. (Répétez)

Répétez: Il ne faut pas trop dormir quand on travaille.

Il ne faut pas se lever trop tard (Répétez)
quand on doit aller travailler. (Répétez)

Oh! Mais il est tard!
Au revoir et merci.
La bande numéro 14 est terminée.

Bande Numéro 15

Écoutez! Est-ce que vous entendez de la musique? — Non, je n'entends pas de musique.
Attendez! Je vais allumer la radio.
Voilà! Est-ce que j'allume la radio? Oui, . . . — Oui, vous allumez la radio.
Est-ce que j'allume le magnétophone? — Non, vous n'allumez pas le magnétophone.
Qu'est-ce que j'ai allumé? — Vous avez allumé la radio.
Et vous. Qu'est-ce que vous avez allumé, la radio ou le magnétophone? — J'ai allumé le magnétophone.

(plus fort)

Est-ce que c'est trop fort? — Oui, c'est trop fort.

(On éteint la radio.)

Est-ce que j'éteins la radio? — Oui, vous éteignez la radio.
Est-ce que j'éteins la lumière? Non, . . . — Non, vous ne l'éteignez pas.
Et vous. Est-ce que vous l'éteignez? — Non, je ne l'éteins pas.
Avez-vous éteint le magnétophone? — Non, je ne l'ai pas éteint.

Bon. Écoutez!

(rasoir électrique)

Pierre se rase. (Répétez)
Est-ce qu'il se rase avec du savon? — Non, il ne se rase pas avec du savon.
Avec quoi se rase-t-il? Avec . . . euh . . . un rasoir électrique? Mm . . . Mm . . . — Euh . . . oui . . . il se rase avec un rasoir électrique.

Écoutez!

(douche)

Est-ce qu'il prend une douche?
Oui, il prend une douche.
Est-ce qu'il se lave?
Oui, il se lave.
Se lave-t-il avec de l'eau?
Oui, il se lave avec de l'eau.
Avec de l'eau froide? Non, . . .
Non, il ne se lave pas avec de l'eau froide.

Et vous? Est-ce que vous vous lavez avec de l'eau froide?
Non, je ne me lave pas avec de l'eau froide.
Nous lavons-nous avec de l'eau froide ou avec de l'eau chaude?
Nous nous lavons avec de l'eau chaude.
Nous nous lavons avec de l'eau chaude et du savon, n'est-ce pas?
Oui, nous nous lavons avec de l'eau chaude et du savon.
Très bien.

Écoutez!

Maintenant, Pierre s'habille. (Répétez)
Est-ce qu'il s'habille avant de sortir?
Oui, il s'habille avant de sortir.
Il s'habille pour sortir, n'est-ce pas?
Oui, il s'habille pour sortir.
Et vous? Est-ce que vous vous habillez pour sortir?
Oui, je m'habille pour sortir.
Et Marie? Elle . . .
Elle s'habille pour sortir.
Et nous? Nous . . .
Nous nous habillons pour sortir.
Et on? On s' . . .
On s'habille pour sortir.
Est-ce qu'on s'habille le matin?
Oui, on s'habille le matin.
Et le soir, on se déshabille, n'est-ce pas?
Oui, le soir on se déshabille. (Répétez)
Et ensuite on se couche, n'est-ce pas? Oui, ensuite . . .
Oui, ensuite on se couche.
Bien.

Maintenant, un petit exercice:
Grand est le contraire de petit. (Répétez)
Et petit? Petit est le contraire de grand. (Répétez)

Chaud?
Chaud est le contraire de froid.
Froid?
Froid est le contraire de chaud.
Entrer?
Entrer est le contraire de sortir.
Allumer?
Allumer est le contraire d'éteindre.
Il fait noir?
Il fait noir est le contraire d'il fait clair.
Se lever?
Se lever est le contraire de se coucher.

Très bien.

Je me lève. (Répétez) Contraire?
Je me couche.
Il s'habille. (Répétez) Contraire?
Il se déshabille.
Hier je me suis levé. Contraire?
Hier je me suis couché.
Il s'est habillé. Contraire?
Il s'est déshabillé.
Très bien.

Et maintenant mettez au passé.
Je me lève. Au passé?
Je me suis levé.
Je me lève à 7 heures. Au passé?
Je me suis levé à 7 heures.
Je me lave. Au passé?
Je me suis lavé.
Je me lave dans la salle de bains. Au passé?
Je me suis lavé dans la salle de bains.
Je me lave les mains. Au passé?
Je me suis lavé les mains.
Je ne me lave pas les pieds. Au passé?
Je ne me suis pas lavé les pieds.

Il se rase. Il s'est . . .
Il s'est rasé.
Il prend un bain. Il a . . .
Il a pris un bain.
Il s'habille.
Il s'est habillé.
Il s'habille avant de sortir.
Il s'est habillé avant de sortir.
Il sort. Et au passé?
Il est sorti.
Il prend l'autobus.
Il a pris l'autobus.
Il va en ville.
Il est allé en ville.
Il travaille. Il a . . .
Il a travaillé.
Il ne regarde pas la télévision.
Il n'a pas regardé la télévision.
Il se couche à 7 heures.
Il s'est couché à 7 heures.
Il éteint la lumière. Au passé?
Il a éteint la lumière.
Il dort 8 heures.
Il a dormi 8 heures.
Il dort bien.
Il a bien dormi.

Ah! Vous allez vous coucher? Alors . . .
Vous aussi, dormez bien! Bonne nuit!
La bande numéro 15 est terminée.

Bande Numéro 16

Quelle bande est-ce?
C'est la bande numéro seize.
Alors, vous avez déjà écouté 15 bandes?
Oui, j'ai déjà écouté 15 bandes.
Avez-vous déjà écouté la bande numéro 17?
Non, je n'ai pas encore écouté la bande numéro 17.
Avez-vous déjà écouté la dernière bande?
Non, je n'ai pas encore écouté la dernière bande.
Avez-vous déjà lu le dernier exercice du livre?
Non, je n'ai pas encore lu le dernier exercice du livre.
Allez-vous le lire ce soir? Non, . . .
Non, je ne vais pas le lire ce soir.
Allez-vous écrire une lettre? Non, . . .
Non, je ne vais pas écrire de lettre.
Allez-vous regarder la télévision? Non, . . .
Non, je ne vais pas regarder la télévision.
Alors, qu'est-ce que vous allez faire ce soir? (Répondez)
Bon!

Écoutez!

C'est Pierre qui parle!

—Marie, regardez! C'est merveilleux.

Pierre et Marie sont à la plage, n'est-ce pas?
Oui, ils sont à la plage.
Est-ce que Pierre est dans l'eau?
Oui, il est dans l'eau.
Est-ce qu'il nage?
Oui, il nage.

Écoutez!

—Est-ce que l'eau est froide, Pierre?
—Mais non, elle est très bonne.

Est-ce que Marie est dans l'eau?
Non, elle n'est pas dans l'eau.
Où est-elle, dans l'eau ou sur la plage?
Elle est sur la plage.

—Tiens, il n'y a personne sur la plage. Personne.
—C'est parce qu'il est tôt!

Est-ce qu'il y a beaucoup de monde sur la plage? — Non, il n'y a pas beaucoup de monde sur la plage.
Pourquoi n'y a-t-il personne sur la plage? — Il n'y a personne sur la plage parce qu'il est tôt.

—Est-ce que vous savez nager, Marie?
—Oui, bien sûr que je sais nager!
—Alors, venez . . . venez à l'eau!

Est-ce que Marie sait nager? — Oui, elle sait nager.
Est-ce qu'elle reste sur la plage? — Non, elle ne reste pas sur la plage.
Vont-ils tous les deux dans l'eau? — Oui, ils vont tous les deux dans l'eau.
Est-ce qu'ils aiment nager? — Oui, ils aiment nager.
Mais . . .

Écoutez!

—Oh . . . la . . . la . . . qu'elle est froide!!
—Mais non, allez!! Elle n'est pas froide.
—Oh! Si . . . elle est . . . elle est . . . glacée! Brrr!

L'eau est-elle chaude? — Non, elle n'est pas chaude.
Est-elle trop froide pour Marie? — Oui, elle est trop froide pour Marie.
Est-elle trop froide pour Pierre aussi? — Non, elle n'est pas trop froide pour Pierre.
Bien.

Est-ce que Marie veut rester dans l'eau? — Non, elle ne veut pas rester dans l'eau. Ou: Elle ne veut pas y rester. (Répétez)
Et Pierre, veut-il y rester? Oui, . . . — Oui, il veut y rester.
Est-ce que Marie reste dans l'eau ou est-ce qu'elle en sort? — Elle en sort. (Répétez)

—Vous voulez votre serviette?
—Oui. Où est-elle?
—Ici, dans le sac en plastique.

Marie veut-elle quelque chose? — Oui, elle veut quelque chose.
Que veut-elle? — Elle veut sa serviette.
Où est sa serviette? — Elle est dans le sac en plastique.
Bien.

Écoutez encore:

—Qu'est-ce qu'il y a à manger, Marie?
—Je vous l'ai déjà dit, Pierre. Des sandwiches.

Pierre a-t-il faim? — Oui, il a faim.
Qu'est-ce qu'il y a à manger? — Il y a des sandwiches.
Ce sont des sandwiches au fromage? Non, . . . — Non, ce ne sont pas des sandwiches au fromage.
Est-ce que ce sont des sandwiches au jambon? Oui, . . . — Oui, ce sont des sandwiches au jambon.

—Mmmm . . . Ils sont bons, vous savez! Délicieux!
—Naturellement! C'est moi qui les ai faits.
—Mmmm . . .

Qui est-ce qui mange? — C'est Pierre qui mange.
Mange-t-il quelque chose de bon? — Oui, il mange quelque chose de bon.

Qu'est-ce qu'il mange de bon? — Il mange un sandwich.
Pierre et Marie s'amusent bien à la plage, n'est-ce pas? — Oui, ils s'amusent bien.
Et vous. Est-ce que vous vous amusez à la plage? Oui, . . . — Oui, je m'amuse à la plage.
En général on s'y amuse bien, n'est-ce pas? — Oui, en général on s'y amuse bien.
Et à la montagne, est-ce qu'on s'y amuse aussi? — Oui, on s'y amuse aussi.

Maintenant écoutez encore et répétez, s'il vous plaît!

—C'est merveilleux, Marie. Regardez! (Répétez) C'est merveilleux, Marie. Regardez!
—Elle est froide, Pierre?
—Mais non. Elle est très bonne. Tiens! Il n'y a personne sur la plage! Personne!
—C'est parce qu'il est tôt.
—Dites, vous savez nager?
—Bien sûr que je sais nager.
—Alors, venez . . . venez à l'eau.
—Oh . . . la . . . la. Qu'elle est froide!
—Mais non. Allez! Elle n'est pas froide.
—Oh . . . si . . . elle est . . . elle est . . . glacée!! Brrr . . .
—Vous voulez votre serviette?
—Oui. Où est-elle?
—Ici. Dans le sac en plastique. Ah! Qu'est-ce qu'il y a à manger?
—Je vous l'ai déjà dit, Pierre. Des sandwiches.
—Mmm . . . ils sont bons . . . vous savez. Délicieux!
—Naturellement! C'est moi qui les ai faits.
—Mmm . . . Mmm . . .

Eh bien, c'est fini.
Amusez-vous bien.
Au revoir Pierre et Marie.
La seizième bande est terminée.
Au revoir et merci.

Bande Numéro 17

(vent)

Entendez-vous quelque chose? — Oui, j'entends quelque chose.
C'est le vent, n'est-ce pas? — Oui, c'est le vent.
Est-ce qu'il fait du vent? — Oui, il fait du vent.

—Pierre, fermez la fenêtre, s'il vous plaît. Fermez la fenêtre!

Est-ce que Pierre doit fermer la porte? — Non, il ne doit pas fermer la porte.
Qu'est-ce qu'il doit fermer? — Il doit fermer la fenêtre.
Pourquoi? Parce qu'il fait du vent? — Oui, parce qu'il fait du vent.
Est-ce qu'il pleut? Non, . . . — Non, il ne pleut pas.
Écoutez bien! Il ne pleut pas? — Non, il ne pleut pas.

(pluie)

Maintenant vous entendez quelque chose, n'est-ce pas? — Oui, maintenant j'entends quelque chose.
Il commence à pleuvoir, n'est-ce pas? — Oui, il commence à pleuvoir.

Est-ce qu'il a plu hier? Non, . . . — Non, il n'a pas plu hier.

Écoutez encore.

—Pierre, voulez-vous mon parapluie?
—Non, ça va, Marie. J'ai un imperméable.

Est-ce que Pierre veut un parapluie? — Non, il ne veut pas de parapluie.
Pourquoi pas? — Parce qu'il a un imperméable.

—Donnez-moi mon imperméable, s'il vous plaît.

Qu'est-ce qu'il demande? — Il demande son imperméable.
Est-ce qu'il veut mettre son imperméable? — Oui, il veut mettre son imperméable.
Et vous? Mettez-vous votre imperméable quand il pleut? — Oui, je mets mon imperméable quand il pleut.
Alors, que mettons-nous quand il pleut? — Nous mettons nos imperméables quand il pleut.
Est-ce qu'il pleut souvent au mois d'octobre? — Oui, il pleut souvent au mois d'octobre.
Pleut-il souvent au mois d'août? — Non, il ne pleut pas souvent au mois d'août.
Quel est le contraire de "souvent"? — Le contraire de "souvent" est "rarement".
Il pleut rarement en été, n'est-ce pas? — Oui, il pleut rarement en été.
Pleut-il quelquefois au mois d'août? — Oui, il pleut quelquefois au mois d'août.
Est-ce qu'il neige quelquefois au mois d'août? — Non, il ne neige jamais au mois d'août.
Fait-il froid quand il neige? — Oui, il fait froid quand il neige.
Quel est le contraire de "froid"? — Le contraire de "froid" est "chaud".

Il fait froid. (Répétez) Contraire . . . ? — Il fait chaud.
Il fait beau. (Répétez) Contraire . . . ? — Il fait mauvais.
Il fait beau temps. (Répétez) Contraire . . . ? — Il fait mauvais temps.

Écoutez encore Pierre et Marie.

—At . . . at . . . atchoum!
—À vos souhaits!
—Merci.

Marie a attrapé un rhume, n'est-ce pas? — Oui, elle a attrapé un rhume.
Elle a attrapé ce rhume hier? Oui, . . . — Oui, elle a attrapé ce rhume hier.
C'était à la plage, n'est-ce pas? Oui, . . . — Oui, c'était à la plage.

—Elle est . . . elle est . . . glacée . . . Brrr!

Où a-t-elle attrapé ce rhume? À la plage? — Oui, elle a attrapé ce rhume à la plage.
Est-ce que l'eau était chaude ou froide? — Elle était froide.

—Mais non, elle n'est pas froide. Elle est très bonne!

Est-ce que l'eau était trop froide pour Pierre? — Non, elle n'était pas trop froide pour Pierre.

—Atchoum!

Était-elle trop froide pour Marie? — Oui, elle était trop froide pour Marie.

—Atchoum!
—Marie, je vous en prie, allez voir un médecin.

Pierre dit-il à Marie d'aller voir un médecin? — Oui, il lui dit d'aller voir un médecin.

—Allez voir un médecin!
—Pour un rhume? Ah non! Jamais de la vie!

Est-ce que Marie veut aller voir le médecin?	Non, elle ne veut pas aller voir le médecin. Ou: Non, elle ne veut pas aller le voir.

—Pour un rhume? Jamais de la vie!! Je vais prendre des médicaments. C'est tout!

Qu'est-ce qu'elle va prendre?	Elle va prendre des médicaments.
Est-ce qu'elle en a besoin? Oui, . . .	Oui, elle en a besoin.
Pierre en a-t-il besoin aussi?	Non, Pierre n'en a pas besoin.
Et vous? Quand vous avez un rhume est-ce que vous avez besoin de médicaments? Oui, . . .	Oui, quand j'ai un rhume, j'en ai besoin.

Bon! Écoutez!

—Avez-vous des médicaments chez vous?
—Non, je n'en ai pas.

Marie a-t-elle des médicaments?	Non, elle n'en a pas.
Elle n'en a pas chez elle?	Non, elle n'en a pas chez elle.
Est-ce que Pierre en a? Non, . . .	Non, il n'en a pas.
Et vous? Est-ce que vous avez des médicaments sur vous?	Non, je n'en ai pas sur moi.
Est-ce que Marie doit aller chercher les médicaments?	Oui, elle doit aller chercher les médicaments. Ou: Oui, elle doit aller les chercher.
Alors, elle doit sortir, n'est-ce pas?	Oui, elle doit sortir.

Répétez: Elle doit sortir pour les acheter.

Écoutez Marie maintenant!

—Je n'ai pas de médicaments ici . . . mais je peux sortir pour en acheter.

Marie peut-elle sortir? Oui, . . .	Oui, elle peut sortir.
Elle doit aller dans la rue, n'est-ce pas?	Oui, elle doit aller dans la rue.

Avec son rhume? Sous la pluie?
Mais non, écoutez!

—Mais non, Marie! Laissez-moi faire. Laissez-moi aller à la pharmacie pour vous.
—Merci Pierre! Vous êtes gentil.

Alors, c'est Pierre qui va sortir, n'est-ce pas?	Oui, c'est Pierre qui va sortir.
Va-t-il aller à la pharmacie?	Oui, il va y aller.

Pierre est sorti et Marie écoute de la musique.

—Atchoum! . . . Ah, c'est Pierre! Enfin!
—Et voilà! At . . . at . . . atchoum!
—Pierre!
—Atchoum! Voilà! At . . . atchoum! Les . . . atchoum . . . médicaments pour votre . . . atchoum . . . rhume!

C'est tout pour aujourd'hui.
La bande numéro 17 est terminée.
Au revoir, à bientôt, et merci.

Bande Numéro 18 (Bande de Révision)

Écoutez, s'il vous plaît.

—Bonjour, monsieur.
—Bonjour, Mlle Duval.
—Une bouteille de lait, s'il vous plaît!
—Voilà, mademoiselle.

C'est Marie et l'épicier, n'est-ce pas?	Oui, c'est Marie et l'épicier.
Est-ce que Marie est allée à la bibliothèque?	Non, elle n'est pas allée à la bibliothèque. Ou: Non, elle n'y est pas allée. (Répétez)
Est-elle allée à la boulangerie ou à l'épicerie?	Elle est allée à l'épicerie.
Elle y est allée pour acheter quelque chose, n'est-ce pas?	Oui, elle y est allée pour acheter quelque chose.
A-t-elle acheté du vin?	Non, elle n'a pas acheté de vin. Ou: Non, elle n'en a pas acheté.
A-t-elle acheté de la bière?	Non, elle n'en a pas acheté. Ou mieux: Non, elle n'en a pas acheté non plus.
A-t-elle acheté du champagne?	Non, elle n'en a pas acheté non plus.
Qu'est-ce qu'elle a acheté, du lait?	Oui, elle a acheté du lait.

—Une bouteille de lait, s'il vous plaît.

Alors, elle a demandé une bouteille de lait?	Oui, elle a demandé une bouteille de lait.
Qui lui a donné cette bouteille?	C'est l'épicier qui lui a donné cette bouteille.
Est-ce que Marie a donné quelque chose à l'épicier?	Oui, elle lui a donné quelque chose.
Ah, elle a payé, n'est-ce pas?	Oui, elle a payé.
Savez-vous combien elle a payé?	Non, je ne sais pas combien elle a payé.
Vous ne savez pas combien?	Non, je ne sais pas combien.
Mais savez-vous ce qu'elle a acheté?	Oui, je sais ce qu'elle a acheté.
Bien. Très bien.	
Un autre jour Pierre et Marie sont allés à l'Arc de Triomphe, n'est-ce pas?	Oui, ils sont allés à l'Arc de Triomphe.

Écoutez!

—Où allons-nous?
—À l'Arc de Triomphe.

Alors, Pierre est sorti avec Marie?	Oui, il est sorti avec elle.
Et elle est sortie avec lui, n'est-ce pas?	Oui, elle est sortie avec lui.
Sont-ils sortis ensemble?	Oui, ils sont sortis ensemble.

Écoutez!

—Allons-y en autobus, d'accord?
—D'accord. Mais où est l'autobus?
—Il arrive dans 5 minutes.

Ils veulent aller à l'Arc de Triomphe, n'est-ce pas?	Oui, ils veulent aller à l'Arc de Triomphe.
Veulent-ils y aller en métro?	Non, ils ne veulent pas y aller en métro.
Comment veulent-ils y aller?	Ils veulent y aller en autobus.
Très bien.	

Écoutez!

—Il arrive dans 5 minutes.

Est-ce que Pierre et Marie doivent attendre longtemps?	Non, ils ne doivent pas attendre longtemps.
Doivent-ils attendre une demi-heure?	Non, ils ne doivent pas attendre une demi-heure.
Combien de temps doivent-ils attendre?	Ils doivent attendre 5 minutes.
Est-ce que l'autobus arrivera dans 2 minutes?	Non, il n'arrivera pas dans 2 minutes.
Quand arrivera-t-il?	Il arrivera dans 5 minutes. Ou: Il arrive dans 5 minutes.

Très bien.

Un autre jour, Pierre a demandé:

—Pouvez-vous me donner l'adresse de votre directeur?

Et Marie a répondu:

—Oui. La voilà. Tenez, Pierre!

Est-ce que Pierre a demandé une adresse?	Oui, il a demandé une adresse.
A-t-il demandé votre adresse?	Non, il n'a pas demandé mon adresse.
A-t-il demandé l'adresse du directeur de Marie?	Oui, il a demandé l'adresse du directeur de Marie. Ou: Il l'a demandée. (Répétez)
A-t-il demandé aussi son numéro de téléphone?	Non, il ne l'a pas demandé.

—Oui. La voilà. Tenez, Pierre!

Est-ce que Marie lui a donné l'adresse de son directeur?	Oui, elle lui a donné l'adresse de son directeur.
Très bien.	
Et vous? Avez-vous besoin de cette adresse?	Non, je n'ai pas besoin de cette adresse. Ou: Non, je n'en ai pas besoin. (Répétez)
Est-ce que vous parlerez au directeur de Marie?	Non, je ne lui parlerai pas.
Est-ce que vous lui donnerez un coup de téléphone?	Non, je ne lui donnerai pas de coup de téléphone.
Et il ne vous téléphonera pas non plus?	Non, il ne me téléphonera pas non plus.
Mais alors, vous ne travaillez pas pour lui? Mais non, . . .	Mais non, je ne travaille pas pour lui.

Très bien.

Est-ce que vous irez bientôt en France? Oui, . . .	Oui, j'irai bientôt en France.
Est-ce que vous y resterez 10 ans?	Non, je n'y resterai pas 10 ans.
Combien de temps y resterez-vous? Répondez!	

Ah, bon!

(horloge)

Est-ce qu'il est 3 heures?
Oui, il est 3 heures.
Est-ce qu'il est déjà 3 heures et demie?
Non, il n'est pas encore 3 heures et demie.
Dans 30 minutes il sera 3 heures et demie, n'est-ce pas?
Oui, dans 30 minutes, il sera 3 heures et demie.
Et dans une heure?
Dans une heure il sera 4 heures.
Dans deux heures?
Dans deux heures il sera 5 heures.
Et dans trois heures?
Dans trois heures il sera 6 heures.

Bien. C'est un peu compliqué, n'est-ce pas?
Oui, c'est un peu compliqué.
Alors, vous en avez assez?
Oui, j'en ai assez.

D'accord! J'ai compris.
Si vous en avez assez, arrêtons-nous ici.
Cette bande de révision est terminée.

Au revoir. À bientôt et merci.

Bande Numéro 19

Commençons par un peu de grammaire.

Aujourd'hui et hier.
Aujourd'hui je vais à la station de métro. Et hier?
Hier je suis allé à la station de métro.
Je vais au guichet. Hier . . . ?
Hier je suis allé au guichet.
Je prends un billet. Hier . . . ?
Hier j'ai pris un billet.
Je l'achète au guichet. Et . . . ?
Hier je l'ai acheté au guichet.
Ensuite je regarde le plan du métro. Et hier?
Hier j'ai regardé le plan du métro.
J'attends 5 minutes. Et hier . . .
Hier j'ai attendu 5 minutes.
Le métro arrive. Hier . . . ?
Hier le métro est arrivé.
Je reste debout dans le métro. Et . . . ?
Hier je suis resté debout dans le métro.
Je ne me repose pas. Hier . . . ?
Hier je ne me suis pas reposé.
Ensuite je change de train. Hier . . . ?
Hier j'ai changé de train.
Enfin je sors du métro. Et . . . ?
Hier je suis sorti du métro.
Je vais voir mes amis. Et hier . . . ?
Hier je suis allé voir mes amis.

Très bien.

Maintenant répondez avec "y", s'il vous plaît!

Êtes-vous allé à la station de métro? Oui, . . .
Oui, j'y suis allé.
Est-ce que M. Duval y est allé? Oui, . . .
Oui, il y est allé.
Êtes-vous allé au guichet? Oui, . . .
Oui, j'y suis allé.
Est-ce que vous y avez attendu le train?
Oui, j'y ai attendu le train.
Est-ce que M. Duval y a attendu le train? Non, . . .
Non, il n'y a pas attendu le train.
Pourquoi ça? N'est-il pas allé à la station? Non, . . .
Non, il n'y est pas allé.

Écoutez Pierre et Marie maintenant!
Ils vont voir des amis.
Marie demande:

—On prend le métro, Pierre?
—Si vous voulez, Marie, mais il faut changer de train.
—Où ça?
—À la station "Châtelet".

Est-ce que Pierre et Marie sont déjà dans le métro? Non, . . .	Non, ils ne sont pas encore dans le métro. (Répétez)
Sont-ils encore dans la rue?	Oui, ils sont encore dans la rue.
Est-ce qu'ils vont prendre un taxi?	Non, ils ne vont pas prendre de taxi.
Vont-ils prendre le métro?	Oui, ils vont prendre le métro.

Écoutez encore!

—Pierre, où faut-il changer?
—À la station "Châtelet".

Pierre et Marie doivent-ils changer de train?	Oui, ils doivent changer de train.
Doivent-ils changer à l'Opéra? Non, . . .	Non, ils ne doivent pas changer à l'Opéra.

—À la station "Châtelet".

À quelle station doivent-ils changer?	Ils doivent changer à la station "Châtelet".

—Bon, allons-y. Avez-vous des billets, Pierre?
—Oui, j'en ai. J'en ai.

A-t-on besoin de billets pour prendre le métro?	Oui, on a besoin de billets pour prendre le métro.
À Paris on a besoin de billets pour prendre le métro, n'est-ce pas?	Oui, à Paris on a besoin de billets pour prendre le métro.

—Avez-vous des billets, Pierre?
—Oui, j'en ai.

Est-ce que Pierre doit acheter des billets?	Non, il ne doit pas en acheter. (Répétez)

—J'en ai. J'en ai dans la poche.

Ah, il en a déjà, n'est-ce pas?	Oui, il en a déjà.
Est-ce qu'il en a deux?	Oui, il en a deux.
Un pour lui et un pour Marie?	Oui, un pour lui et un pour Marie.
Est-ce qu'ils sont dans sa poche?	Oui, ils sont dans sa poche.

—Bon, alors, allons-y!
—Vite, vite, Marie. Le métro arrive.

Est-ce qu'ils doivent attendre?	Non, ils ne doivent pas attendre.
Pourquoi?	Parce que le métro arrive.

—Vite, vite, Marie. Le métro arrive.

Ils vont vite le prendre, n'est-ce pas?	Oui, ils vont vite le prendre.

Écoutez-moi. (lentement) Est-ce que je parle vite maintenant?	Non, vous ne parlez pas vite maintenant.
Parlez-vous plus vite que moi? Oui, . . .	Oui, je parle plus vite que vous.
Est-ce que je parle lentement?	Oui, vous parlez lentement.
Je ne parle pas trop vite?	Non, vous ne parlez pas trop vite.
Et vous me comprenez bien?	Oui, je vous comprends bien.

Écoutez!

—Pierre?
—Mmm? Mmm?
—Est-ce encore loin?
—Non, encore 10 minutes.

Ah, ils arriveront dans 10 minutes?	Oui, ils arriveront dans 10 minutes.
Est-ce qu'ils descendront du train dans 10 minutes?	Oui, ils descendront du train dans 10 minutes.
Et ils sortiront du métro dans 10 minutes, n'est-ce pas?	Oui, ils sortiront du métro dans 10 minutes.

Écoutez!

—Vos amis habitent près de la station de métro?
—Oui, tout près.

Est-ce qu'ils iront chez leurs amis?	Oui, ils iront chez leurs amis.

Bon, c'est tout pour aujourd'hui.
Une fois de plus, au revoir et merci.
La bande numéro 19 est terminée.

Bande Numéro 20

(train)

Ça, c'est un train, n'est-ce pas?	Oui, c'est un train.

(avion)

Et ça, c'est un avion?	Oui, c'est un avion.

(bateau)

Et ça, qu'est-ce que c'est?	C'est un bateau.
Où est-ce que nous prenons le bateau, au port?	Oui, nous prenons le bateau au port.
Est-ce qu'on le prend pour aller de New York à Cherbourg? Oui, . . .	Oui, on le prend pour aller de New York à Cherbourg.
Est-ce qu'on le prend pour aller de Douvres à Calais? Oui, . . .	Oui, on le prend pour aller de Douvres à Calais.
Est-ce qu'on le prend pour aller de Cherbourg à Paris?	Non, on ne le prend pas pour aller de Cherbourg à Paris?
Est-ce qu'on prend le train de Cherbourg à Paris?	Oui, on prend le train de Cherbourg à Paris.
Le voyage de Cherbourg à Paris est-il long?	Non, il n'est pas long.
Le voyage de Montréal à Paris est plus long, n'est-ce pas?	Oui, il est plus long.
Est-il beaucoup plus long?	Oui, il est beaucoup plus long.
L'avion va plus vite que le bateau, n'est-ce pas?	Oui, il va plus vite que le bateau.
Le président de la République fait-il des voyages en avion?	Oui, il fait des voyages en avion.

Bon!

Faut-il aller à l'aéroport pour prendre l'avion?	Oui, il faut aller à l'aéroport pour prendre l'avion.
Où faut-il aller pour prendre le train?	Il faut aller à la gare pour prendre le train.
Et pour prendre le bateau faut-il aller au port?	Oui, pour prendre le bateau il faut aller au port.
Bien.	
Nous avons des vêtements, n'est-ce pas?	Oui, nous avons des vêtements.
Pour voyager nous avons besoin de vêtements, n'est-ce pas?	Oui, pour voyager nous avons besoin de vêtements.
Mettez-vous vos vêtements dans un sac en papier?	Non, je ne mets pas mes vêtements dans un sac en papier.
Où les mettez-vous? Dans une valise?	Oui, je les mets dans une valise.
Très bien.	
Répétez: Je fais ma valise.	
Et vous? Faites-vous votre valise? Oui, . . .	Oui, je fais ma valise.
Et Pierre? Il . . .	Il fait sa valise.
Et enfin, Marie. Elle . . .	Elle fait sa valise.
Bien.	
Est-ce que Marie veut partir? Oui, . . .	Oui, elle veut partir.
Veut-elle partir en voyage?	Oui, elle veut partir en voyage.
A-t-elle déjà fait sa valise? Oui, . . .	Oui, elle a déjà fait sa valise.
Ou: Non, . . .	Non, elle n'a pas encore fait sa valise. (Répétez)

Écoutez Pierre et Marie.
Écoutez-les parler de voyages!

—Est-ce que vous avez déjà fait vos valises?
—Non, pas encore.
—Ah, il faut faire vite. Votre avion part à 11 heures et demie.

Alors, a-t-elle déjà fait ses valises?	Non, elle n'a pas encore fait ses valises.

—Vite, il faut faire vite.

A-t-elle beaucoup de temps?	Non, elle n'a pas beaucoup de temps.
Doit-elle faire vite?	Oui, elle doit faire vite.

—Votre avion part à 11 heures et demie.

Pourquoi doit-elle faire vite?	Elle doit faire vite parce que son avion part à 11 heures et demie.
C'est son avion qui part à 11 heures et demie, n'est-ce pas?	Oui, c'est son avion qui part à 11 heures et demie.

Bon. Très bien.

Écoutez!

—Vous avez votre billet d'avion?
—Oui, il est dans mon passeport.

A-t-elle son billet?	Oui, elle a son billet.
A-t-elle mis son billet sur la table?	Non, elle n'a pas mis son billet sur la table.
Où a-t-elle mis son billet?	Elle a mis son billet dans son passeport. (Répétez)

Alors, elle a besoin de son passeport? — Oui, elle a besoin de son passeport. Ou: Oui, elle en a besoin. (Répétez)

Est-ce qu'elle en a besoin pour aller de Paris à Lyon? Non, . . . — Non, elle n'en a pas besoin pour aller de Paris à Lyon.

Écoutez encore:

—À quelle heure arriverai-je à Montréal?
—À 7 heures du soir, plus ou moins.

Est-ce qu'elle va à Genève? — Non, elle ne va pas à Genève.
Où va-t-elle? — Elle va à Montréal.
Est-ce que Montréal est en France? — Non, Montréal n'est pas en France.
Où est Montréal, en Italie ou au Canada. — Montréal est au Canada.
Est-ce que Marie restera en France? — Non, elle ne restera pas en France.

Écoutez!

—Vous resterez deux mois à Montréal?
—Deux ou trois mois, Pierre.

Est-ce que Marie restera 6 mois à Montréal? — Non, elle ne restera pas 6 mois à Montréal.
Combien de temps y restera-t-elle? — Elle y restera deux ou trois mois.
Y va-t-elle pour faire une visite à sa soeur? Oui, . . . — Oui, elle y va pour faire une visite à sa soeur.

Bon.

Écoutez les dernier mots de Pierre et Marie avant le départ:

—Ah! Voilà un taxi! Taxi!
—Merci, Pierre, merci mille fois pour tout.
—Bon voyage, Marie, et . . . revenez-nous bien vite!
—C'est promis! Monsieur, à l'aéroport, s'il vous plaît.

Et voilà! Nous laissons-là nos deux amis.
Nous venons de terminer notre vingtième et dernière bande.

À vous aussi, monsieur, madame ou mademoiselle qui avez écouté, répété et répondu, nous disons "au revoir".

Et . . . à bientôt!

Bande Numéro 21—Dictées

Première Dictée—*(page 91, exercice 46)*

Le matin, je me lève tôt parce que mon bureau est loin de chez moi. Je prends mon petit déjeuner. À sept heures et demie, je sors de mon appartement et je vais au bureau. J'y reste jusqu'à cinq heures, et ensuite je retourne à la maison en autobus. Je me repose un peu. Plus tard, je dîne avec ma femme et mes enfants. À onze heures, nous sommes fatigués et nous nous couchons.

Deuxième Dictée—*(page 98, exercice 51)*

Nous avons une grande cuisine et nous pouvons y prendre nos repas. Mais ma femme et moi, nous travaillons pendant la journée. Alors, nous dînons au restaurant. Le garçon apporte le menu. Après le repas, il nous demande si nous voulons quelque chose d'autre. Ma femme prend un café et moi, un cognac. Enfin, je paye l'addition et nous sortons du restaurant.

Troisième Dictée—*(page 107, exercice 57)*

Hier, mes enfants sont allés au cinéma. Ils ont vu un bon film. Ensuite, ils sont revenus à la maison. Ils ont fait leurs exercices. À huit heures, ma femme, mes enfants et moi, nous avons dîné. Ensuite nous avons regardé la télévision avant de nous coucher. Demain, nous nous lèverons tôt.

Quatrième Dictée—*(page 115, exercice 62)*

—Où allez-vous demain?
—Au Louvre!
—En métro?
—Oh, non! À pied, pour voir la ville.
—Ah! Vous allez voir la place de l'Opéra avec ses statues, et la rue de Rivoli avec ses beaux magasins.
—Oui, les statues de Paris sont très belles.
—Vous aimez nos statues?
—Beaucoup.
—Alors, n'oubliez pas de visiter le Musée Rodin. Vous verrez, c'est très intéressant.
—Entendu!
—À bientôt!

Bande Numéro 22—Textes et Dialogues

Exercice 1 — Parlons français
Exercice 6 — Au consulat du Canada
Exercice 12 — Quel épicier!
Exercice 22 — Un jour de fête
Exercice 24 — Un repas français
Exercice 25 — Je voudrais une bouteille de Bordeaux
Exercice 30 — Pour pouvoir être près de Marie
Exercice 32 — Un après-midi ensemble
Exercice 35 — Les renseignements, s'il vous plaît!
Exercice 40 — Une journée qui commence mal
Exercice 44 — Qu'est-ce qu'il y a ce soir à la télévision?
Exercice 48 — Où est passé le gâteau?
Exercice 50 — Un dimanche à la plage
Exercice 53 — L'été à Deauville
Exercice 56 — Un dimanche à la plage (suite)
Exercice 59 — Après la pluie, le beau temps
Exercice 61 — Quelle secrétaire!
Exercice 64 — Des amis peu sympathiques
Exercice 68 — Et . . . merci mille fois